一瞬で心をつかむ
エリート・カジュアル

Capturing the Heart in an Instant
ELITE CASUAL

しぎはらひろ子
Hiroko Shigihara

一流の男だけが知っている、ビジネスファッションのニュースタイル

KADOKAWA

はじめに

エリート・カジュアルとは、自分の仕事に誇りを持ち「哲学を纏う」こと

本書は、一流の男だけが知っている「ビジネス・カジュアルのコツ」を伝授する一冊です。

「ビジネス・カジュアルって、スーツとかネクタイでなくてもいい！ってこと？」
「仕事服の軽装化って、楽で仕事しやすければビジネス・カジュアルだよね？」

そんな漠然とした考えをお持ちのあなたに、お聞きしたいことがあります。

世の中には「これがビジネス・カジュアルだ」という情報が溢《あふ》れすぎていて、本当のところ、「何を着ればいいの？」と迷っていませんか？

この本を読めば、あなたは「迷わずに、楽に、自分の価値が上がるビジネス服を買う」ことができるようになります。

そして、仕事服を買うときに二度と失敗することはありません。

今までのビジネスシーンでは「スーツを着てネクタイを締める」のが基本とされていま

したが、クールビズやテレワークが普及し、仕事服のカジュアル化が進んだ現在では、「ノーネクタイでも可」という風潮が定着しつつあります。

それにより、「仕事服の軽装化＝スーツスタイルからネクタイのみを外して勤務すること」を通年で実施する企業が急速に増えています。

と、同時に「ビジネス・カジュアル」という言葉が一般化すると共に、ファッション誌やYouTubeなどのSNSには「玉石混交のビジネス・カジュアル情報」が溢れています。

さらに、毎日着る衣服のことなのに、これまで一度もきちんとファッションや衣服について学ぶ機会がなかったために、いまだに「何が正解」かがわからないままなのではないでしょうか？

これまで、あなたはどのような基準で仕事服を購入していましたか？

「仕事だから、とりあえず無難な服が安心」
「立場を考えて常識的な服を着ておけばいい」
「男は見た目ではない」

このように思っているあなたにこそ、ぜひ本書を読んでいただきたいのです。

こんにちは。しぎはらひろ子です。

はじめましての方もいらっしゃるので、簡単に自己紹介をさせていただきます。

私はデザイン教育の名門校を卒業した後、松下通信工業（現パナソニック コネクト）でデザインと機能の研究開発職に就きました。そして23歳でファッション業界に転職し、ファッションプロデューサーとして働きながら、SHIBUYA109の立ち上げ、ファッションブランドのコンサルティング、日本ベストドレッサー賞選考委員や文化服装学院をはじめとする服装専門学校の講師も務め、40年以上、ファッションの専門家として第一線を走りながら、たくさんのメッセージを発信してきました。

同時に日本を代表する一流企業の「服装規定」や「階層別のビジネス・ドレスコード」「インターナショナル・ドレスコードやプロトコール」に関する講演やセミナーを通じて「ビジネスにおける衣服の役割とは何か？」について研究し、発信をしてきました。

ところが、世界を震撼《しんかん》させた「新型コロナウィルス」により、服飾学においても従来では基本とされていた「マナー」に大きな変化がありました。特に仕事時の服装に関しては、世界中で瞬く間にカジュアル化が進みました。

通勤や対面を基本としたビジネスが「オンライン会議」や「在宅勤務」に変わることは、それまでの対面を基準とした「仕事服」の常識を大きく変えるターニングポイントとなりました。

同時に地球温暖化による急激な気候変化で日本では急速にクールビズが浸透し、ノーネクタイが増え、仕事服のカジュアル化を積極的に取り入れる企業が増えています。

また、2050年カーボンニュートラルの実現に向け、環境省ではSDGsの取り組みの中で、一人ひとりのライフスタイルの脱炭素型への転換を推進しています。それに伴い、働きやすい職場作りの一環として、「通年の仕事服に関する職員の軽装化（気候や職場環境などに合わせ、職員自ら快適で働きやすい服装を選択）」の実施も急速に広まっています。

このような「急激な環境変化」により「仕事服のカジュアル化」が一気に進んだことで、「会社員としての服装の乱れが気になる」という相談や、「新しい服装規定」を作りたいという企業からの依頼が急増しています。

ビジネスの現場で働くあなたも、「この服は仕事で着用しても大丈夫なのか？」と迷うことが多くなっているのではないでしょうか？

思い出してみてください。服は、毎日身につけるものなのに、今まで一度としてきちんと学んだことはあったでしょうか？

ファッションは、「学問」としての知識がとても重要なのです。もちろん、学問と聞いて身構える必要はありません。ほんの少しの知識とノウハウを知るだけで、見違えるような変化が起こるのです。

服の仕組みを学ぶことで、誰もが「目的に合わせて、カジュアルにコーディネート」できるようになり、ファッションにおける「センス」も身につきます。


「センス」というのは、感覚やひらめきといった曖昧な要素ではありません。「なぜこの服を選んだのか」「なぜこの色にしたのか」「なぜこの組み合わせにしたのか」というように、自分だけの「哲学を纏《まと》い」、それを「言葉にできるか」なのです。

私は、「哲学を纏ったセンスあるスタイル」を「エリート・カジュアル」と定義づけています。

本書は、「何となくかっこいいから」という服選びをしている人を、一人でも多く「センスある人」へ導くために、５つの新常識として体系立ててメソッド化しました。

・新常識1　ビジネス・カジュアルは「ビジカジ度数」で決まる
・新常識2　ファッションは「錯覚させる」が正解
・新常識3　似合う服は「型」ではなく、「自分の体型」で決まる
・新常識4　「色×心理学」で自分を表現する
・新常識5　服はもうたくさんいらない

「人は見た目が9割」というのは嘘ではありません。本書で掲げている5つの新常識は、自分の望む人生を手に入れるための第一歩になります。自分の立場や存在感を示す「エリート・カジュアルスタイル」を知り、あなたにふさわしい外見を手に入れ、あなたの価値を上げ、新たな評価と共に、内在するあなたの実力を存分に発揮してください。

ファッションはあなたの価値を上げる最強のツールであり、見た目はあなたを瞬時に伝える暗黙の言葉である。

しぎはら ひろ子

第3章

【新常識3】
似合う服は「型」ではなく、「自分の体型」で決まる

第4章

【新常識4】

「色×心理学」で自分を表現する

第5章

【新常識5】服はもうたくさんいらない

ブックデザイン　菊池祐（株式会社ライラック）
イラスト　齋藤光
DTP　思机舎

第1章

【新常識1】
ビジネス・カジュアルは「ビジカジ度数」で決まる

ビジネス・カジュアルとは何か

コロナ禍以降、働き方改革やテレワークなど、ビジネスシーンを取り巻く環境は大きく変化しています。ビジネスウェアにおいても、スーツからカジュアルなアイテムまで選択肢が広がり続けています。それにより、一気にビジネス・カジュアルが広がり、ファッション誌、ウェブ、ＳＮＳ、YouTubeなどで「これがビジネス・カジュアルスタイリング」という内容の情報が溢れています。発信者はスタイリスト、販売員、自称ファッショニスタ、ユーチューバーなどなど、玉石混交状態で、本当のところ、「どれが正解かわからない」のではないでしょうか？

あなたも「カジュアル化だから、楽な方を選んでいいよね？　でも、今日の仕事はネクタイをした方がいいのかな？」など、服の選択に迷うことはありませんか？

内勤やオンライン会議が増えたことで、仕事服のカジュアル化が進み、さらに酷暑による影響でネクタイをしないで通勤してもいいという風潮が急激に広まりました。それにより、「カジュアル＝楽な服」というイメージから、仕事時の服装の乱れが気になる、という声を耳にすることが多くなりました。

じつはここ最近「カジュアル化が進むにつれ、服装の乱れが気になりますが、『何を着ればよいのか？』という基準がなくて、服飾規定の改定を考えています」というご相談を受けることが多くなりました。

これまでは仕事の服といえば「ビジネスウェア」でしたが、現在の仕事服は「ビジネス・カジュアル」や「インナー・カジュアル」という言葉で表現されることが多く、何を基準にしたらよいかわからないまま、「ビジネス・カジュアル」という言葉でくくられています。

本来のビジネス服における基準とは、「取引先への訪問」や「来客の対応」ができるかどうかでした。職種、企業、職場によってドレスコードは様々ですが、あくまで「仕事のための服装」です。「ビジネス・カジュアル化」が進んでも、「仕事服」という観点でコーディネートするべきものです。また、「ビジネス・カジュアル」と混同しがちなのが、「オフィス・カジュアル」です。オフィス・カジュアルは、内勤での着用を基本としたカジュアルなスタイルです。職場内でオフィス・カジュアルを推奨していても、接客・商談時はビジネス・カジュアルが適している場合もあるので、その日のスケジュールに合わせて、場にふさわしい装いを整えましょう。

そもそも、「ビジネス・カジュアル」も「オフィス・カジュアル」も本来は「ビジネスウェア」です。

ビジネスウェアとは「オフィシャルウェア＝公的な場で着る服」の分類に入り、職業によって、規定の制服がある職業もたくさんあります。緊急時に一目で何をする人かがわかる、警察官や消防士、自衛官などの制服。企業ブランドが一目でわかるパイロットやＣＡの制服。コックさんは調理服、工事現場では作業服など、職業を表す様々なスタイルがあります。特に制服ではありませんがビジネスマンはスーツスタイルなど、職業によっては職務内容を示す制服があります。つまり、ビジネスウェアとは、広義には「仕事で着る服」、すなわち仕事服なのです。

ですから、仕事服とは「その仕事に適した服装」が基本であり、会社が服装を指定している場合はよいのですが、そうでないケースでは自ら考え、選択していく必要があります。ビジネスウェアで重要なことは、「ビジネスシーンに適したビジネスウェア」を選択し、立場を適切に表現する「外見の整え方」を心得ていることなのです。

「服装」や「衣服」をツールと考え、その場にふさわしい外見で自分の存在感を明確に表現し、よりよいビジネスに繋げていきましょう。「服装」を学問的に理解することによって、服の仕組みがわかり、迷いなく服を選べるようになります。

しぎはら流
「ビジカジ度数」とは何か

「ビジネス・カジュアル」とは、「ビジネス」と「カジュアル」を合わせた造語です。そこで本書では、「ビジネス・カジュアル」という言葉を簡略化し「ビジカジ」としました。そして、曖昧になりがちなビジネス・カジュアルの〝カジュアル度〟を可視化するために、どのくらいカジュアルに寄せているかを「度数化」し、これを「ビジカジ度数」と称して「★」の数で表現し、ビジネス・カジュアル要素を示すものと定義づけました。

ビジネスウェア（仕事服）の基本となるのはイギリス式のクラシックスーツです。ご存じだと思いますが、クラシックスーツについてご説明しておきましょう。クラシックスーツの構成は「ジャケット・パンツ・ベスト（オプション）・シャツ・ネクタイ・シューズ・バッグ」です。

- **ジャケット**：クラシックスーツのジャケットは、通常、シングルブレストまたはダブルブレストがあります。シングルブレストは一列のボタンで、ダブルブレストは二列のボタンが特徴です。
- **パンツ**：クラシックスーツのパンツは、ジャケットと同じ素材で作られ、通常、センタープレスが施されます。脚は細身で、裾はくるぶしよりも少し下が一般的です。
- **ベスト（オプション）**：ベストは、三つボタンで、ジャケットと同じ生地で作られることが多いです。ベストを加えることで、フォーマルな印象になります。

・**シャツ**：白いドレスシャツが一般的で、通常はフレンチカフ（二重の袖口）が使われます。

・**ネクタイ**：ネクタイはフォーマルな場面では欠かせない小物です。色や柄は機会や季節によって選ばれます。

【着用のポイント】

・**サイズ**：スーツは身体にジャストフィットするものを選ぶことが重要です。ジャケットの肩がしっかりとフィットし、パンツのウエストと裾が適切な位置にあることがポイントです。

・**着用ルール**：シングルジャケットの場合、二つボタンは、上のボタンだけを留めます。三つボタンは、上と真ん中のボタンを留めます。段返り三つボタンは、真ん中のボタンだけを留めるのがルールとなります。

ダブルジャケットの六つボタンの場合は、真ん中のボタンだけを留めます。

・**小物**：ドレスシャツやネクタイ、ポケットチーフなどの小物の組み合わせに気を配りましょう。色や柄の調和が大切です。

・シューズ：ビジネススーツには、ブラックまたはダークブラウンの革靴を合わせます。

本書で紹介するビジカジスタイルの基本は、ご紹介したクラシックスタイルを起点とし、ここから少し離れたジャケパンスタイルである「ジャケット＋シャツ＋パンツ＋ネクタイ」を「★」としています。そこからカジュアル度が増すごとに、「★」が増え、最大で「★★★★★」にしました。★の数が多いほど、仕事服における「ビジカジ度数」が増すということになります。例えば「結婚式では礼服を着る」「重要な会議ではネクタイを締める」などの、日本社会におけるスーツ着用の慣習はクラシックスタイルなので、★はなしです。

本書での「ビジカジ度数」とは、これまでの「スーツ＋ネクタイ」という慣習における「堅い⇅柔らかい」を表したものであり、急激にカジュアル化するビジネスウェアを迷いなく選ぶための指針です。

とはいえ、企業の服飾規定や職種によって違いがありますし、職種やビジネスシーンによっては、従来通りのネクタイをしたスーツスタイルが必須な場面もあると思います。

このことを少しだけ頭の片隅に置いた上で、ビジネス・カジュアルスタイルを楽しんでいただけたらと思います。

「ビジカジ度数」の4つの要素と各ビジネス・カジュアルアイテムの特徴

「ビジカジ度数」の基準は各アイテムの持つ「①デザイン・②色・③柄・④素材」です。ビジネス服の基本アイテムである「ジャケット・パンツ・ベスト（オプション）・シャツ・ネクタイ・シューズ・バッグ」ですが、それらの各アイテムの特徴を「デザイン・色・柄・素材」を軸に、フォーマル寄り（堅いイメージ）、カジュアル寄り（柔らかいイメージ）に分け、カジュアル寄りになるほど★の数を増やしています。

コーディネートはアイテムの組み合わせ次第で何通りにもなるので、アイテムの持つ★の数を基準にしながら全体の印象でビジカジ度数を決めています。

まずは各アイテムの①デザイン・②色・③柄・④素材についてご説明します。

①デザイン

ファッションには様々なジャンルがあり、そのジャンルごとに特有のデザイン傾向があります。

代表的なのがパリコレなどに代表されるトレンドやモードの世界。シーズンごとにトレンドとして時代の気分やクリエイターのファッション哲学を表現した、新しいスタイルが発表されます。

それに対して様式美（一定のスタイル）やカルチャー（文化）から生まれた「ゴスロリ」「エスニック」「ロック」「ヒップホップ」など様々なデザインがあります。

ビジネス服の基本アイテムである「ジャケット・パンツ・ベスト（オプション）・シャツ・ネクタイ・シューズ・バッグ」といったスーツスタイルの原型は、1848年頃にイギリスで誕生し、「ラウンジジャケット」といわれ、貴族の間で親しまれていた衣類とされています。1845年にミシンが発明され、1849年には「ブルックスブラザーズ（アメリカの衣料ブランド）」が世界で初めて既製品スーツを製造し世界中に広まりました。ビジネスウェアの基本アイテムも、歴史の中で時代と共にデザインや形を変えてきました。ここでは現在のビジネスウェアの基本的なデザインの特徴を説明しておきます。

・**シングルブレストまたはダブルブレスト**：シングルブレストは一列のボタンがあり、一つまたは複数のボタンで留めます。ダブルブレストはボタンが二列に並び、前立てが重なります。シングルブレストよりもフォーマルな印象を与えます。

・**ノッチドラペル**：最も一般的な襟の形状です。襟の先端がV字形になっており、襟と胸ポケットの交差する位置に小さな切り込み（ノッチ）があります。この切り込みが特徴的で、普段使いのスーツやカジュアルな服装によく使用されます。

・**ピークドラペル**：フォーマルで洗練された外見を持つ襟の形状です。ピークは「尖《とが》った」という意味で、襟の先端が上向きに広がり、力強く、ドレッシーな印象を与えます。一般的にタキシードやフルドレススーツなどの儀礼的な場面でよく見られます。

・**ストライプや無地**：無地または微細なストライプ柄が一般的です。シンプルな色や柄が好まれます。

・**フラップポケット**：ジャケットのポケットは通常、フラップつきで、きれいなラインを保ちながら機能性も備えています。

・**ストレートなパンツ**：パンツは通常、ストレートなシルエットで細すぎず太すぎないデザインが一般的です。

・**シンプルなディテール**：シンプルで洗練されたデザインを特徴としており、装飾やディテールは最小限に抑えられています。

・**シャツ**：基本の型があり、ビジネスの場ではクラシックなデザインが基準とされています。身体に緩やかに沿うシルエットで、台襟が低く（4センチ以下）、襟の形は開きが広すぎず、高すぎないベーシックなレギュラーカラー〜ワイドカラーが基本です。

・**ネクタイ**：基本的なデザインは、先端が剣先のように尖ったた結び下げのタイプです。レギュラータイは最も一般的な形で、大剣（最も幅が広い部分）の幅は7〜9センチとされています。柄も様々なものがあり、レジメンタルをはじめ、無地、ドット、小紋柄などネクタイの柄にもドレスコードがあります。

ナロータイは大剣の幅が4〜6センチと比較的、細めのネクタイです。カジュアル要素が強く、ビジネスシーンでは無地のニットタイが一般的です。柄物はカジュアル感が強くなり、相手に不快感を与えてしまう可能性もあるので、着用する際には注意して取り入れるようにしましょう。

・**ビジネスシューズ**：基本的なデザインはストレートチップで、つま先部分に装飾的なキャップ（帽子状の部分）がなく、なめらかなつま先形状を持つため、非常にシンプルでフォーマルな印象を与えます。ビジネス環境での定番として多くの場面で利用され、その堅実さと適応性から、多くの人に選ばれています。カジュアル要素が高いローファーは、スリップオンで履くデザインが特徴です。コインローファーやタッセルローファーなど、様々なデザインがあります。スニーカーはさらにカジュアルな印象になりますが、レザー素材でスタイリッシュなデザインを選んでください。ただし、あまりにもスポーツ寄りのものは避けるべきです。

・**バッグ**：ビジネスバッグのデザインは、機能性とプロフェッショナルな外見を両立させるものが一般的です。シンプルで上質な革素材、手持ちの部分がクラシックな形のレザーで質感や光沢があり、耐久性がありながらも上品な印象を与えます。取り外し可能なショルダーストラップがついているものが一般的です。

トートバッグはシンプルで、内側が広々としています。近年は、ビジネス用のデザインが豊富です。レザー素材やナイロンの高級感のあるデザインがおすすめです。

ビジネスリュックはIT化の流れと共に世界的に広まり、現在は一流ブランドをはじめ、ビジネスバッグの専門ブランドからも、多機能、デザインに優れたものが発売されています。ビジネスの場では派手なプリント柄は避け、ダークカラーの無地をセレクトしてください。

②色

ビジネススーツの基本色として使われてきたダークネイビー、チャコールグレーは国際プロトコールの基準色であり、世界共通のスーツの定番色とされてきました。

ジャケットにパンツという「ジャケパン」スタイルの中でも、ダークネイビーのジャケットにチャコールグレーのパンツ、白いシャツ、ネクタイ、黒かダークブラウンの革靴のスタイリングは、フォーマル度の高いコーディネートです。ダークネイビーやチャコールグレーは、色彩学では明度（色の明るさ）、彩度（色の鮮やかさ）が低い色に分類されています。
ビジネスウェアにおける基本的な色は次の通りです。

・**ネイビー（紺色）**：ネイビーはフォーマルなビジネス環境で広く受け入れられている色です。スーツやジャケット、パンツなどでも使用され、洗練された印象になります。

・**チャコールグレー**：濃いグレー、特にチャコールグレーは、クラシックなビジネス・カジュアルからフォーマルな場面まで幅広く使われます。スーツやパンツによく利用される色です。

・**ライトグレー**：チャコールグレーよりも明るいグレーは、軽やかでカジュアル、スタイリッシュな印象があります。通年で着用できる色で、スーツやジャケットとしてもおすすめです。春や夏には涼しさを感じさせ、暗くなりがちな秋や冬のコーディネートに明るさを与える色です。

・**ブラック（黒）**：特にビジネススーツや革靴などでよく使用されます。ブラックはクラシックでフォーマルな印象を与え、社内での式典などのときにおすすめです。

・**ホワイト（白）**：白はシャツやブラウスなどのビジネスウェアに頻繁に用いられる色です。清潔感やシンプルさを表現し、他の色との組み合わせが容易です。

・**ライトブルー**：ビジネスシャツとしてよく使われます。爽やかな印象を与えつつ、フォーマルさを保ちます。ネイビーやグレーのスーツにもよく合います。

・**ブラウン／カーキ**：ブラウンやカーキのスーツやジャケットは、クリエイティブな業界やカジュアルな場で使われてきました。柔らかな印象を与え、同時にプロフェッショナルなスタイルに見えます。ブラウンやカーキのスーツには、白や淡いブルー、淡いピンクなどの明るい色のシャツが合います。カジュアルな印象が強調される色でもあるので、ビジネスフォーマルな場面や厳格なドレスコードが求められる状況では控えてください。

本書の推奨するビジネス・カジュアルでは、黒・グレー・ネイビー・ダークブラウン・カーキ・ホワイト・サックスブルーをコーディネートのメインカラーにすることで、カジュアルなアイテムも「ビジカジ」として取り入れやすくなります。

さらに、このメインカラーの濃淡の幅を広くして色を増やすことで、バリエーション豊かな「ビジカジ」スタイルを提案していきます。

色の組み合わせ方はジャケットやパンツなどを暗めの色にして、シャツに明るい色を使い、チーフや小物などでピンクや赤などの明度・彩度が高いカラーを差し色に入れるなど、ビジネス上の戦略として効果的に使うことが可能です。

③柄

ビジネスにおける基本的な柄は、以下のようなものが一般的です。

・**無地（ソリッド）**：無地はビジネスウェアの基本です。無地のシャツやスーツは清潔でフォーマルな印象を与えます。一色の生地で装飾や柄がないため、シンプルで洗練された外観を演出します。

・**ストライプ**：細かいストライプ柄は、ビジネスシーンで広く受け入れられています。特にシャツやスーツの縞《しま》模様は、フォーマルな場面で用いられ、ビジネスウェアに上品な印象を与えます。ストライプの幅や色合いによって、よりカジュアルまたはフォーマルな雰囲気を演出できます。

・**チェック**：細かいチェック柄や窓格子（ウィンドウペンチェック）も、ビジネスウェアで人気の柄です。特にシャツやジャケットに使われ、適度なカジュアルさと洗練された印象をもたらします。

・**ドット（小さな丸模様）**：小さなドット柄も、ビジネスシーンで採用される柄です。スーツやネクタイ、シャツにドット模様があしらわれることがあり、洗練された印象を与えます。

これらの柄は、ビジネスウェアに一般的に見られるものですが、業界や企業の文化によって適切な柄が異なる場合があります。また、柄を選ぶ際には、色合いや柄のスケール（模様の大きさ）、ビジネス環境や場所のフォーマル度なども考慮することが重要です。

④素材

服に用いられる素材は大きく分けて、天然素材（ウール・シルク・コットンなど）と化学繊維（ポリエステル・ナイロン・テンセルなど）があります。

天然素材のウールは独特の張りやしなやかさ、シルクは上品な光沢があり、上質なスーツに使われ、フォーマル度を高める要素となります。

化学繊維は近年目覚ましい発展を遂げており、天然素材と見分けがつかないものもあります。ビジネス・カジュアルスタイルの急速な広がりに対応して、着心地の良さときちんとした印象を兼ね備えた高機能素材のビジネス服が多くなりました。

「ウール見え」「シルク見え」するポリエステル素材は、これまでのスーツ素材の代用としてビジネス・カジュアルウェアで多く使われています。着やすく、軽くて扱いも容易、かつ光沢もあって高級なシルク調という特徴があり、ビジネスアイテムとしてのバリエーションもますます増えています。

・**ストレッチウール**：ウール素材にストレッチ性を持たせたもので、保温性と伸縮性を両立させています。ビジネス・カジュアルなジャケットやパンツに使用され、快適な着心地を提供します。

・**高機能コットン**：コットン素材にストレッチ性や形状記憶機能を持つ繊維が混ぜられているもので、通気性と柔軟性を兼ね備え、シャツなどに多く使われています。

・**ストレッチ&高機能素材**：ポリエステル素材にストレッチ性を加えたもので、耐久性と伸縮性を備えています。ビジネス・カジュアルなセットアップのパンツやジャケットに使われています。

・**ストレッチブレンド素材**：これは複数の素材がブレンドされ、ストレッチ性を持たせたものです。例えば、ポリウールブレンドなどがあり、ビジネス・カジュアルなアイテムに広く使われます。

ビジネス・カジュアルの広がりと共に増えている高機能素材は、ストレッチ性、通気性などに優れ、さらに洗濯機で洗えるなど、日々進化しています。

動きやすさを重視しつつ、ビジネスウェアにふさわしい外見を保てます。

各アイテムの「ビジカジ度数」と組み合わせ例

ここからは、ビジネス・カジュアルのスタイリングに欠かせない各アイテムの特徴と、ビジカジ度数についてご紹介します。

①ジャケット

「ジャケット」とは衣服の上着の総称で、ジャケットだけ単体で販売される商品はテーラードジャケットといい、スーツの上着と区別されています。テーラードは直訳で「仕立ての」という意味があり、ジャケットだけのオーダーも可能です。私服として着用することを目的に、スーツから派生して作られました。ジャケットは、イギリス式のフラップポケットのついたウール素材のテーラードジャケットが基本型となり、これがビジカジ度数の最も低いもの（フォーマル寄り）として最初に位置づけられます。

これを起点としてポケットのデザインが変わることによって、基本型から離れていき、カジュアル度は上がります。

フォーマルな場やビジネスの場での男性服は、襟つきが基本ですが、最近ではビジネス・カジュアル用のノーカラーのジャケットも多く出てきています。襟がないジャケットは、カジュアル度がかなり高めです。

カジュアルジャケットの種類も増え、さらにストレッチ性が高く、高機能素材を使ったもの、雨にぬれても大丈夫なもの、自宅で洗えるものなど、気軽に着られてストレスのかからない素材がたくさん出ています。同素材のパンツも作られており、セットアップとして販売されています。海外のメンズブランドも、コンフォータブル（着心地の良さ）素材のノーカラージャケットをコレクションで発表したり、ワークウェアスーツやユニクロなどの他、スポーツショップにも並んでいるほどです。

ジャケットの色は、ビジカジ度数にかかわらず、より黒に近いチャコールグレーやダークネイビーなどがおすすめです。ベージュやライトグレーなどの明るい薄い色になるほど、カジュアル度が高くなります。

柄は、無地（柄無地）を基本として、格子柄［図1-1］などが加わることによって、カジュアル度が上がります。格子柄はイタリアのジャケットに多いものですが、ビジネスシーンで着ている人もよく見かけます。

アメリカの狩猟クラブのユニフォームとして使われたガンクラブチェック（茶色と黒の小さな格子柄、千鳥格子など）などのように、アウトドアで着る服の柄は、ビジネスシーンには適さず、相当にカジュアルなものだといえます。

［図1-1］中央の格子柄のジャケットがパッチポケットです。［図1-1］右のノーカ

[図1-1] ジャケットのビジカジ度数

ウールジャケット	格子柄パッチポケットジャケット	ノーカラージャケット
・イギリス式の基本型を踏襲するフラップポケットのテーラードジャケット ・ウール＋シルクの光沢がある素材、色がダークなほどフォーマル寄りになる	・ウール素材の格子柄で、パッチポケットのダークカラー ・ストレッチ素材・高密度ニット系のダークカラー ・コットン＋ビスコース（レーヨン素材の一種）の高級に見える素材	・シンプルかつスタイリッシュなワンボタンジャケット ・ストレッチ性、高機能素材でジャストフィット ・同素材のパンツと合わせたセットアップで、中にバンドカラーのシャツを合わせると、きちんとした印象にもなる

ラージャケットはノーフラップポケットです。ノーカラージャケットは英語の「No（ない）」と「Collar（襟）」を組み合わせた和製英語で、その名の通り「襟のないジャケット」を指しています。冬場のウォームビズ対応として、タートルネックのニットにすると少し分厚くなります。そのため、襟つきのジャケットでは少し窮屈になることから、メンズのビジネスウェアとして広がりつつあります。

「正式なビジネスの場では襟つきが基本」とされていますので、本書ではノーカラージャケットを、カーディガンやセーターよりは「きちんとした印象」として位置づけています。社内規程にもよりますが、王道のテーラードジャケットに比べ堅苦しくないのが特徴で、ジャケットとしてもきちんとした印象になるので、場に応じてオフィス・カジュアルとして取り入れてください。

②シャツ

スーツスタイルのシャツは、イギリスとアメリカで異なります。1896年にブルックスブラザーズが初めてボタンダウンシャツを開発し、アメリカではエリートの地位や伝統の象徴とされていて、数あるドレスシャツの中でも一つのステータスシンボルにもなっています。イギリス式のスーツではドレスシャツを基本としているので、ボタンダウンはビジカジ度数で示すと、ワイドカラーよりもビジカジ度数が高くなります［図1-2］。

本書では、ビジネス・カジュアルのシャツは、ノーネクタイでも形が崩れないタイプからセレクトしています。ドレスシャツには、ネクタイをする前提で作られたレギュラーシャツがありますが、これをノータイで着ると襟の開きが緩んで、崩れた印象になってしまいますが、ドレスシャツの中でも比較的カジュアルなワイドカラーは、ノータイでも襟が崩れません［図1-3］左。カジュアルであっても、清潔感やきちんと感は必要です。ワイドカラーシャツやボタンダウンシャツはタイドアップスタイルでも幅広く使えます。

[図 1-2] シャツのビジカジ度数

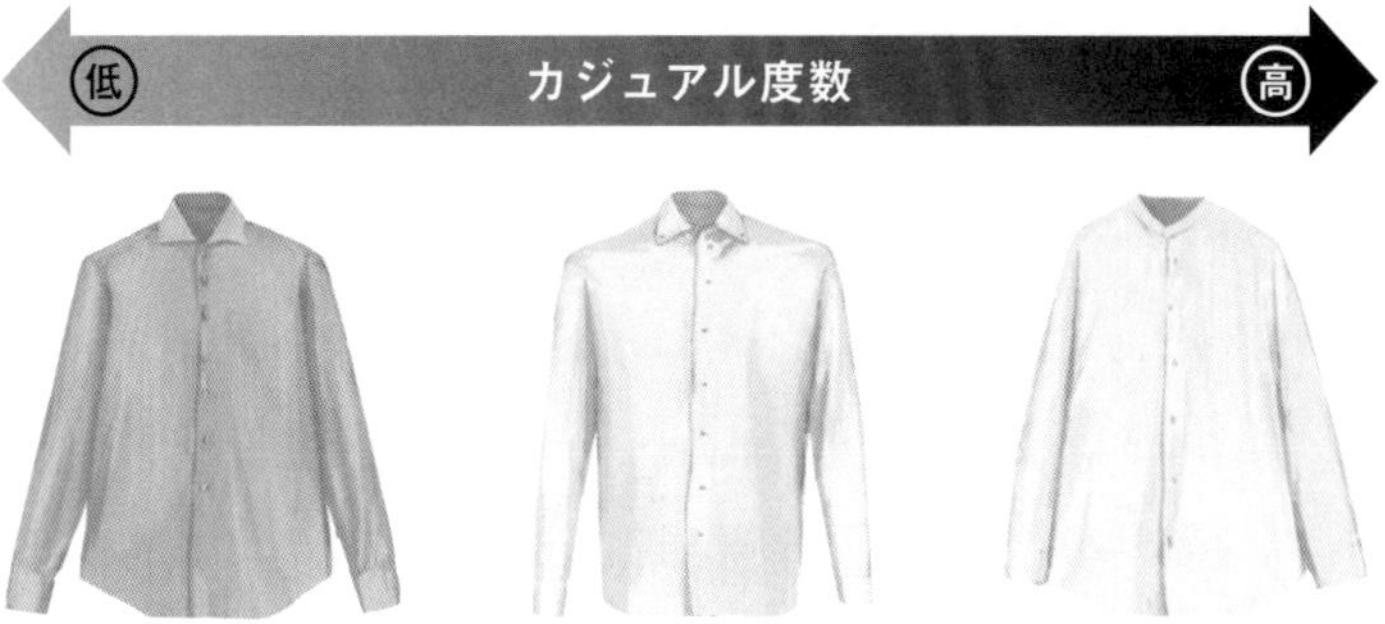

ワイドカラーシャツ

- ノーネクタイに合わせるシャツは、襟が開いているワイドカラーやホリゾンタルカラーがおすすめ
- 襟が立ち上がりVゾーンが自然に開くことで、顔周りがスッキリ見える
- 織り柄で光沢のある白無地はきちんとした印象

ボタンダウンシャツ

- 襟の先にボタンがついている
- 襟の先のボタンを身頃に留めると、ネクタイを外しても形状が崩れず、襟元に立体感が生まれる
- ノーネクタイが浸透するにつれて人気のシャツ

バンドカラーシャツ

- 首元を包むように丸い帯（バンド）があり、襟の折り返しがないスタンドカラーの一種
- 胸元がスッキリし、清潔でリラックス感のある印象
- シャツ特有の「きちんと感」を残しながら、柔らかい印象を演出できる

［図1-2］中央のボタンダウンシャツの素材はダンガリーで、デニムとは違って生地の薄いものです。また、バンドカラーは、第一ボタンを外しても大丈夫ですが、ボタンを留めたコーディネートの方がきちんとした印象になります。

Tシャツやニットのカットソーは、上にジャケットを羽織ることが前提となります。襟のないシャツを選ぶ場合、ビジネスシーンにふさわしいものにしましょう。

③パンツ

ビジネス・カジュアルの「ジャケット＋パンツ」のパンツは、ウールの薄手素材で、センタープレスが入ったワンタックかツータックのものであることが基本となり

［図 1-3］ノータイでも襟が崩れないシャツのカラー

ホリゾンタル（カッタウェイ）

ネクタイありでもノーネクタイでも美しく決まり、どちらでも使える。第一ボタンを外しても立体的に見える

クレリック

襟とカフスに共地の白無地を採用したシャツ。身頃は色つきの無地やストライプで仕上げられ、洗練された着こなしができる

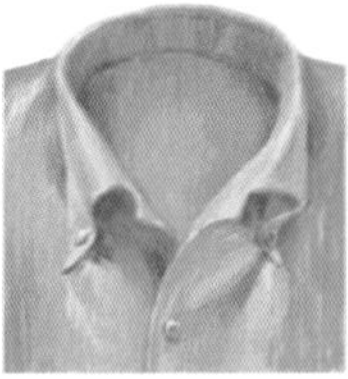

イタリアン ボタンダウン

ノーネクタイ専用の襟型で、首元がスッキリ見え、リラックス感とエレガントさを両立している。幅広いスタイルに対応でき、白無地はドレッシー、色柄はカジュアルな印象

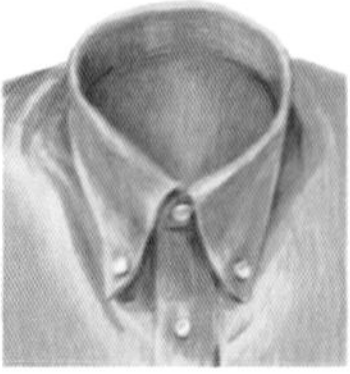

ボタンダウン

ボタンダウンは襟の崩れがなく、シャツ一枚でも着こなせる。ノーネクタイでも襟元が美しく、清潔感があるシャツの筆頭格で、タイドアップを含めた幅広い着こなしができる

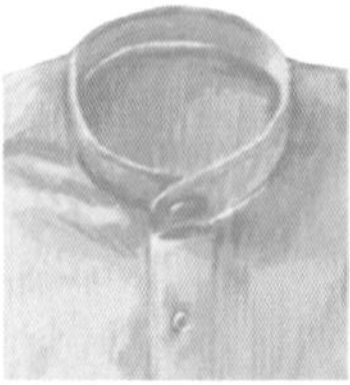

バンドカラー（スタンドカラー）

折り返しがなく、首元がスッキリしていて、ドレッシーからカジュアルなシーンまで、すべてに対応可能。通常のジャケットのインナーにはもちろん、Tシャツに羽織ることもできる

ます。やはりこれも、ビジネスウェアの基本であるイギリス式の伝統的な考え方です。

ビジカジ度数の最も低いのが、ウールのテーパードパンツです［図1-4］。裾の幅は18センチ前後で、太ももから足首にかけて次第に細くなるセンタープレスのあるオーソドックスなものを選びましょう。ウールは、弾力性に優れ、型崩れしにくく、シワになりにくいという特徴もあります。

「タック」とは、ウエストから下に向けて入れられた左右にあるひだのことです。タックの入ったパンツは、ウエストや腰回りにゆとりができます。

ビジネス・カジュアルでは、ボタンダウンシャツにコットン100%のチノクロスパンツというコーディネートがよく見られますが、コットン100%のカジュアルチノクロスパンツは学生のような印象になるので、ビジネスの場では避けましょう。

最近ではポリエステル素材との複合繊維でできたセンタープレスのきちんとした印象のチノパンツも出てきており、スッキリとした足長効果も期待できます［図1-4］中央。

ポリウレタン素材の入ったチノパンツは、細身で伸縮性が高く、ストレッチ性に優れているので、動きやすくはき心地も良いです。

[図1-4] パンツのビジカジ度数

ウールテーパードパンツ

- ウールは弾力性があり、型崩れしにくく、シワになりにくい
- 高い機能性があり、少々の水なら弾いてくれる
- 太ももから足首にかけて次第に細くなるセンタープレスの細身パンツは、ビジネスからカジュアルまで幅広くマッチ

チノクロスパンツ

- ポリウレタン素材配合のものは、スッキリした光沢と伸縮性がある
- シルエットは清潔感のある印象
- ヒップや太ももはタイトめに、目安は指で軽くつまめる程度のゆとりがよい
- センタープレスのあるチノパンツで脚長効果も

ストレッチ素材ギャザーパンツ

- 身体の動きに合わせて伸縮し、動きやすさをサポートしてくれる機能性素材は自転車通勤にぴったり
- センタープレス加工のあるもの、ナイロン系のシワにならないものがおすすめ

いずれにしても、ウールから離れるほどカジュアル度は高くなっていきます。また最近は、丈の短いクロップドパンツも増えていますが、丈が短くなると、カジュアルな印象が強くなります。パンツからくるぶしが丸見えにならないように、丈は慎重に決めましょう。

ビジカジ度数の高いものとして、ストレッチ素材のギャザーパンツを挙げました［図1-4］右。

自転車通勤などのシーンはもちろん、普段から身体を頻繁に動かす人には非常におすすめです。ただし、裾をゴムなどで絞ったデザインのものはNGです。

イタリアのハイブランドなどでも、ウエストがギャザーになり、紐《ひも》がついているス

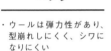

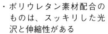

トレッチ素材のパンツをよく見かけます。ストレッチは今や、パンツ全体のトレンドともいえる状況になっています。ユニクロでもストレッチウールのセットアップなどが出ています。

④ネクタイ

ビジネス・カジュアルにおけるネクタイについてお話しします。

夏になると、通勤のときのビジネスマンの方々のネクタイ姿をほとんど見かけなくなりました。ですが、世の流れがビジカジだからといって、全くネクタイを持っていなくていいというわけではありません。出勤するときはノータイであっても、取引先との打ち合わせや急な通夜や謝罪など、いざというときのために会社にネクタイを置いておくことは、ビジネスマンとしての常識です。

ジャケット＋パンツスタイルできちんとした印象にしたい場合は、ネクタイを一本足すとカジュアルでリラックスした雰囲気がありながらも崩しすぎず、洗練された印象になります。

ジャケパンスタイルでレギュラータイをするときは、ベーシックな襟幅のネイビーのジャケット、白いシャツ、ウールのパンツという組み合わせが基本になります。カジュア

[図1-5] ネクタイのビジカジ度数

レギュラータイ	ナロータイ	ニットタイ
・大剣の幅が7〜9センチのものを一般的にレギュラータイと呼ぶ ・本来はスーツ用だが、ビジカジでも改まった場ではレギュラータイを使用したい ・服のスタイルにかかわらず、最低限一本は持っておきたい	・大剣の幅が4〜6センチのものをナロータイと呼ぶ ・細身のデザインが特徴で、ラペルの幅が細いジャケットに合わせ、カジュアルなシーンでつけるとバランスが良い。ただし正式な場ではNG ・結び方はダブルノットがおすすめ	・先端が水平にカットされたスクエアタイがよく見られるが、大剣がついたものもある ・カジュアル度が高いとはいえ、色はダークな無地のものを選ぶ ・最もカジュアルなので、改まった場には不向き ・結び方はオリエンタルノットがおすすめ

ル度が増し、襟の幅が細くなるときはナロータイ、ボタンダウンにはニットタイというように、カジュアル度が上がるほどネクタイもカジュアルなデザインに変えていきましょう。柄は、無地→ドット→小紋→ストライプ→チェック→ニットの順にカジュアル度が高くなっていきます。

　ネクタイとジャケットには法則があり、ネクタイの大剣の幅は、ジャケットのラペルの幅に合わせるのが基本です。ラペルとは、ジャケットの上襟（カラー）に続く「下襟」のことを指します。

　レギュラータイの大剣の幅は7〜9センチ、ナロータイの大剣の幅は4〜6センチとなっています。ラペルの細い比較的カジュアルなタイプのジャケットには、ナロータイと考えがちですが、ビジネス・カジュアルではジャケットのラペル幅にこだわらずニットタイを着用することをおすすめします。

本書では、第3章のコーディネート例の一部でニットタイを取り上げています。ニットタイを選ぶときには、やはり色の選択がポイントとなります。縞模様や派手な柄のものも多いので、紺などのダークな色で無地のものがビジネス・カジュアルにはおすすめです。

レギュラータイはシルク素材が一般的で、Vゾーンがつるっとした印象に見えますが、ニットタイは編み物としての表情が出るため、無地でもほどよいアクセントになります。ニットタイの結び方は、一般的なプレーンノットよりも、結び目のほどけにくいオリエンタルノットがおすすめです。小剣の折り目を保ちながら結ぶとよいでしょう。

⑤シューズ

カジュアル度が高いジャケット＋パンツであっても、基本の革靴とされるブラックレザーのストレートチップを合わせることが、ビジネス・カジュアルの最上位であり、スタートラインとなります。ストレートチップとは、つま先に横一線で切り替えが入っているデザインの靴です［図1-6］左。ストレートチップシューズは、フォーマルな場でもビジネス・カジュアルでも幅広く合わせられます。

ちなみに同じ革靴でも、つま先に装飾のないプレーントゥはシンプルで素朴な印象となり、カジュアル度はやや上がります。また、Uチップは Uの字形のチップを甲の部分に使ったもので、イギリスのカントリーシューズとして用いられ、カジュアル度はさらに上がります。

ストレートチップを起点に靴をカジュアルダウンさせていくと、スリッポンやスウェードになっていきます［図1-6］中央。スリッポンは靴紐や金具のない靴全般を指し、ローファーもスリッポンの仲間です。ローファーは「怠け者」の意味があり、これは紐の靴が当たり前だった1920年代にイギリス貴族のルームシューズとして広まったためとされています。

さらにカジュアル度を上げていくと、レザースニーカーとなります［図1-6］右。近年は自転車通勤の人も増え、ビジネスシーンで履けるデザインのレザースニーカーがたくさんありますが、やはり、黒やブラウン、ネイビーなどの濃色から選びましょう。本革をはじめ、手入れのいらない合成皮革のものもあります。

いかにもスニーカーという、スポーツ用のキャンバス生地はカジュアルすぎて、ビジネ

［図 1-6］シューズのビジカジ度数

ストレートチップ	スウェード スリッポン	レザースニーカー
・つま先に横一線の切り替えがある革靴。フォーマル、ビジネス・カジュアルまで幅広く応用が利く ・プレーントゥはつま先に装飾のないシンプルな革靴 ・Ｕチップはカントリーシューズが発祥でカジュアル度が上がる	・靴紐のないスリッポンは着脱が楽で、ビジネス・カジュアルの足元の引き締め役として人気 ・定番のコインローファーや、房飾りのついたタッセルローファー、サドルに金具のついたビットローファーなど、様々な雰囲気が楽しめる	・スニーカーでありながら、革素材であり、毎日、汚れを落として手入れしながら清潔に保てる ・黒やブラウン、ネイビーなどの定番色をセレクト ・キャンバス生地は、ビジカジとはいえ、ビジネスシーンではＮＧ

スの場にふさわしいとはいえません。会社のカジュアル化が進んでいるとは思いますが、迷うときは服飾規定に戻りましょう。

なお、革靴メーカーが作ったビジネススニーカーというものもあります。例えば、ストレートチップの革靴のように見えながら、ソールのクッション性があり、軽量でスニーカーのように歩きやすいタイプです。

⑥露出度合い（パンツの裾の長さ）

パンツの裾の長さは、一般的に「ワンクッション」「ハーフクッション」「ノークッション」の三つに分類されます。

「ワンクッション」は、裾が靴の甲に当た

［図 1-7］露出度合いのビジカジ度数

ワンクッション

・パンツの裾が靴の甲に当たり、折り目が一つできる長さ
・スーツからビジカジまで幅広く対応。ゆったりとしたシルエットのパンツに適している
・おすすめのパンツは、裾幅 20 センチ以上

ハーフクッション

・パンツの裾が靴の先端部分にわずかに当たり、たわみのない長さ
・レギュラーフィットから細身のシルエットのパンツに適している
・おすすめのパンツは、裾幅 18 〜 19 センチくらい

ノークッション

・パンツの裾が靴に当たらず、ソックスが見えるくらいの長さ
・ハーフクッションよりさらにカジュアル度が上がり、スッキリとした印象
・おすすめのパンツは、裾幅 18.5 センチくらい

り、折り目が一つできる長さです。ソックスも見えず、スーツからビジネス・カジュアルまで幅広く使えます。ゆったりとしたシルエットで、裾幅20センチ以上のパンツにおすすめです。

「ハーフクッション」は、裾が靴の先端部分にわずかに当たり、たわみのない長さです。レギュラーフィットから細身のシルエットまで幅広いパンツに適しています。

「ノークッション」は、裾が靴に当たらず、ソックスが見えるくらいの長さです。ハーフクッションよりさらにカジュアル度は上がり、スッキリした印象となります。

ビジネス・カジュアルが急速に広まると同時に、イタリアンテイストの「いかにおしゃれに見せるか？」がビジネス・カジュアルであるかのような動画やＳＮＳ発信の解説などがたくさん出ていますが、ビジネスシーンである以上、くるぶしを出したり、素足にローファーはＮＧです。

どんなシューズでも、ソックスを履くことが大前提です。

「ビジカジ度数」別アイテム組み合わせ例

本書はビジネス・カジュアルの着こなしの楽しさをお伝えするものですが、その前に、次のページのいちばん上にある「ビジカジ度数★」のスタイリングについて解説します。

ビジネス・カジュアルが現在のように広く認知される前の、ジャケット＋パンツの基本的スタイルです。アイテムはフラップポケットのジャケット＋白いシャツ＋ネクタイ＋ウールのセンタープレスのパンツ＋革靴という組み合わせで、これがかつてのビジネス・カジュアルとして許される境界線でした。

コロナ禍以降、ノーネクタイが急速に浸透した結果、この基本型からネクタイだけを外したものが新たなビジネス・カジュアルとして定着しました。このスタイルが「ビジカジ度数★★」ということになります。ビジカジ度は「ネクタイをする／しない」に始まり、次にどんなジャケットとシャツを着るか、その次にパンツ、そして靴という順番で、カジュアル度が変わっていき★の数が決まります。しかし、個々のアイテムだけを見て、機械的にビジカジ度数が決まるというものではありません。

例えば、フラップポケットのジャケットに白いTシャツという人もいますし、さらに足元はレザースニーカーという人もいるでしょう。「どの程度カジュアルにしてもよいか」という場の雰囲気を念頭に選び、ふさわしいコーディネートをしてください。

[図 1-8] ビジカジ度数別のアイテム組み合わせ例

メンズビジネス・カジュアルの注意点

①スーツのジャケットを着回さない

スーツのジャケットだけを着て、ボトムスにチノパンツをはいた状態を想像してみてください。上下の質感があまりにもちぐはぐになり、違和感を感じませんか？

なぜなら、スーツは上下セットで着用する服として作られているからなのです。

少し専門的な内容ですが、スーツの生地は「ウーステッド（梳毛《そもう》）」で織ったもので、ビジネススーツの最も一般的な生地といえます。毛羽が少なく艶《つや》のある丈夫な糸を使用し表面がツヤツヤしています。

その他、織り目がはっきりし、コシが強くシワになりにくい、張りがあるなどが特徴です。上下で着用することを前提として作られているため、肩周りや着丈まで美しいシルエットになるよう計算されたバランスで仕上げられています。

これに対して単品のジャケットとして作られているものは〝カジュアルな素材〟を使用することが多く、コットンや麻、季節素材のツイードやフランネル、圧縮ニット、最近ではこれらの素材に伸縮性を加えたストレッチ性のある素材も多く出ています。

単品のジャケットは、素材やデザインの種類も豊富です。手軽に着用できるため、着心地が楽だという特徴もあります。丈もスーツのジャケットよりは短めに設定されています。購入時は、自分の体型に合う着心地の良いジャケットを選んでください。

「セットアップ」は、スーツとは異なり、必ずしも上下セットで着る・購入する必要はありません。別々に着ることを考えて作られているため、他のアイテムと自由にコーディネートを楽しめます。その時々のビジネスシーンにふさわしいアイテムをセレクトしてくださいね。

詳しくは第3章の体型のところで触れますが、単品でジャケットを買うときの注意点を挙げておきましょう。

サイズを決めるときは、肩が正しくフィットしていることが最大の条件です。もし、既製品で合わない場合は、リーズナブルな価格でセミオーダーができるメーカーが増えているので、肩周り、着丈、袖丈など、自分の体型に合わせたジャケットをオーダーしてください。

ビジネス・カジュアルのジャケットとしておすすめなのは、フロントのボタンが縦一列に並ぶシングルブレストで、二つボタンでV字の開きが深いタイプです。シングルのジャケットはシルエットが細長く、お腹周りが気になる人や肥満体型の人でもスッキリと見せられます。

腰のポケットはフラップポケット、もしくはノンフラップポケットで、腰回りをスッキりさせましょう。パッチポケットのブレザータイプは、お腹周りがダブついて見えてしまうので注意が必要です。

②トップスはTPOに合わせて選ぶ

ビジカジの第一歩は、ノーネクタイによって首元を開放するところから広まりました。ノーネクタイでもビジネスに向くのは、どのようなジャケットやシャツなのでしょうか？まずは、どのようなシーンで着用するのか、というTPOを見極めることです。

あなたがその日、どんな立場で、何をしに行くのか、ということを客観的に考える必要があります。自分よりも目上の人に会いに行って商談をするなら、相手へのリスペクトの表現としてジャケットを着用しネクタイをして、誠実で信頼される見た目でなければいけません。一方、社内で新規プロジェクトのためのブレーンストーミングが中心の打ち合わせであれば、ネクタイはいらない場合が多いと思います。

トップスを決めたら、次に、合わせていくパンツや靴を選んでください。最後に、上から下まで全身が映る鏡で、目的に合った見た目になっているかどうかを、客観的にチェックしてください。客観的に自分を評価するときに有効なのが、スマホに写した写真です。なぜなら、人間の肉眼が直に捉えた「現実」は脳で補完され、本人が見たいところしか見ない偏りが生じるからです。それに対して、カメラは「真実」を写します。私がスタイリングする際は、必ずスマホ画像の全体像を見て評価します。

あなたもコーディネートに迷うときは、この方法で冷静にジャッジしてください。目的に合わせたコーディネートをセレクトすることで、ビジネス・カジュアルスタイルが完成します。ビジカジ度数はアイテムごとにつけられるものではなく、全体のイメージが相手にどのように映るかという目安なのです。

③ボトムスは素材や丈に注意

「露出度合い」（44ページ）のところでも触れましたが、カジュアルだからといって、パンツの丈を短くするのは避けてください。くるぶしを露出させない、短すぎるパンツをはかないというのは、ビジネスの場では守るべきマナーです。肌を露出させないため、長めのソックスを履くことも暗黙のルールといってよいでしょう。

特に、パンツは、カジュアルな要素が入ってくるほどにダブダブに見せたり、極端に短くしたりする着方があります。アパレルの販売員から「かっこいいから」と提案されても、鵜呑《うの》みにしないよう気をつけてください。

ワンクッションかハーフクッションなのか、ノークッションでもいいのか？　それが自分のビジネスにふさわしいかどうかは、あなた自身で判断してくださいね。

素材も丈との関連で、ある程度決まってきます。ベーシックなウール素材のテーパードパンツなら、ワンクッションが基本となりますし、コットンにポリウレタンなどが混合されたストレッチ素材であれば、短めの丈でも対応できます。TPOが大切なのはトップスばかりではありません。ボトムスにも気を抜かないようにしてください。

④ニットタイは派手すぎないものを選ぶ

ニットタイは1920年代にドイツのアスコット社で誕生したのが始まりとされ、新しいイメージのネクタイとしてリゾート地を中心に流行したといわれています。

素材に関しては、ニット編みのできるシルクやウール、コットンなどで作られたものが多く、最近ではポリエステルなどの人工素材のものも増えています。

ニットタイは、レギュラータイと違い、ビジネス・カジュアルのアクセントとして取り入れるものです。堅苦しいネクタイはいらないけれど、ニュアンスとしてタイをした方が場にふさわしい、というときに使います。ビジネス・カジュアルスタイルに戦略的にどのような印象を演出するのか？という、良き小道具となります。

ニットタイの中には、ピンクやオレンジなどの鮮やかな色、あるいはイエローとネイビーの横縞のように非常に派手な色柄が多数あり、カジュアルだからと派手な色や柄のものをつけている人がいますが、基本はビジネスの場にふさわしいかどうかです。ネイビーやダークグレー、あるいはカーキなどのダークカラーで、無地のものや落ち着きのある洗練されたデザインのものを選びましょう。

⑤スポーツ用スニーカー、キャンバススニーカー、サンダルは避ける

ビジネス・カジュアルのシューズのうち、ビジカジ度数の最も高いものはレザースニーカーだとお伝えしました。キャンバススニーカーやサンダルの類はビジネスシーンから外れるため、NGとなります。

ビジネスシーンではブラックやダークネイビー、ダークブラウンのレザーをセレクトしてください。同じレザーでも、ロゴやラインなどが入ったスポーツ用のものは避けましょう。

サンダルがビジネス・カジュアルには適さない理由は、「つま先が見えてしまう」という点にあります。つま先もかかともないものは靴と認められないからです。レディースのパンプスの中でも、オープントゥというつま先が見えるタイプは正式な場ではNGとされています。これは夏場であっても同様です。

第2章

【新常識2】

ファッションは「錯覚させる」が正解

脱「何となくかっこいいから」という服選び

服を買うとき、あなたはどのような選び方をしていますか？

「よくわからないけれど、何となくかっこいいから」「これが流行《はや》っているから」という選び方を繰り返してきませんでしたか。

服飾の源流には、衣服や装飾が「自分の存在感を示すもの」として発展してきたという歴史があります。現在のファッションはこの流れの中にあり、ビジネス時の服装は仕事服という分類に入り「この会社でこういう仕事をする人間である」という前提で服を選び、身につける必要があるということになります。

この章では、形やデザインの持つ視覚情報と、それらをどのように感じ、記憶しているかという認知心理学を重ねることによって生まれる「錯覚」による効果を、「ファッションの知恵と力」として解説していきます。

ここであなたに質問です。

Q. 真っ白なスーツに真っ黒のシャツ。シャツは三つ目のボタンまで開き、胸元から太めのチェーンネックレスが見えています。どのような職業でしょう？

「ホスト？　闇金融、反社会の人？」。このいずれかではありませんでしたか？　顔も年齢もお伝えせずに、服の特徴と着こなし方をお伝えしただけです。でも、あなたは今、その情報から、職業や、どんな性格か、話し方までイメージしたのではないでしょうか？

では次の質問は、いかがでしょうか？

Q. 淡いピンク色でウエストにリボン飾りのあるワンピースの女性は、どのような出自ですか？

「どこかのお嬢様」「育ちの良い良家の子女」ではありませんか？

じつは、この二つの質問の答えは、これまで5万人以上の方に服だけのイラストを見せ、服の特徴から「どのようなイメージを持ったか？」という質問をした結果です。

服装のイラストのみで、顔も年齢もお伝えしていませんが、服装の持つイメージだけで職業やその人の背景まで想像してしまう。では、なぜ、そう思ったのでしょうか？それはあなたの中に、今までに見てきた映画やドラマなど、様々なメディアを通して刷り込まれたイメージがあるからです。

私は、そのイメージを「服の言葉」と呼んでいます。

かっこいい形、やる気が湧くデザイン、勇気が湧いてくる色、心が静まる色、シャープなテイスト（雰囲気）……というように、すべての服には色、形、デザインに、言葉があるのです。これは「デザインの法則」であり、「ファッションの法則」として多用されています。

「服の言葉」＝イメージが結びついて、人は無意識にその言葉と着ている人を重ねて捉えています。ですから、服をきちんと「選ばず」に何となく着ていると、自分が何もいわなくても、服が「私はこういう人間なんです」と勝手に話し出してしまいます。服は、あなた以上におしゃべりなのです。

「え〜ッ！　服がしゃべるなんてありえない」と思いましたよね。でも、先ほどの質問を思い出してください。あなたは服装から、それを着た人がどんな職業かを想像していましたね。同じように、他人はあなたの外見からあなたという人物の内面までをも、無意識にイメージとして受け取っているのです。

「第一印象が大切です」ということは、よく理解されていますが、他人は見た目の印象でその人のほとんどの部分を判断してしまうということなのです。

では、その印象を作るものは何か？　それは、「表情、ヘアースタイル、服のデザイン、色、持ち物」であり、一瞬で目に飛び込んでくるあなたの佇《たたず》まいなのです。

職業を判断する大きな材料となるものに、制服があります。警察官や消防士も、電車の運転士、ホテルのドアマンも、制服によってその人物が何の職業に就いているかが一目瞭然です。さらに、その人の内面さえも「しっかりしている」「安心感がある」「真面目だ」といった、その制服の持つイメージと重ね、印象として無意識に受け取ってしまうのです。

服そのものも、もちろんそうですが、すべてのものやデザインはイメージと言葉を持っています。

「色」に関しては、1810年にゲーテが、『色彩論』で、色が光の波動だけでなく、観察者の感覚や心の状態にも関連していると論じました。「色は人間の感情や身体に大きな影響を与える」という色彩心理に新しい考えをもたらし、現在に至ります。

「デザイン」に関しては、19世紀末から20世紀初頭にかけての美術やデザインの「アーツ・アンド・クラフツ運動」が、新しいデザイン原則やアプローチを提唱しました。これらの運動で、工芸や建築、デザインにおいて機能性や美的価値を重視し、それらを体系化する試みとして言語化が始まりました。

つまり、ファッションを考察すると、「すべてのファッションデザインや色はイメージと言葉を持っている」ということです。

ファッションを変えてお城に入り、王子様を射止めたシンデレラの物語をはじめ、衣服や見た目の効果を活用し、人生を成功に導いた映画や物語は世界中にたくさんあるのです。

私はこの「ファッションの知恵と力」をビジネスで有効に使う方法を「服飾戦略」としてメソッド化し、これまでも多くの政治家や著名人の内面の価値を瞬時に伝える視覚情報としての服飾スタイリングをしてきました。

ビジネス服がカジュアル化する今こそ、服の持つ知恵と力を最大限に「セルフマネジメント」として使い、ビジネスを有効に運ぶツールにしていただきたいのです。

何となく「カジュアル＝ラフな服」と捉えて服を着てしまうと、服の持つ言葉やイメージが作用して大きなマイナスとなることもあるのです。

「流行っているから」「おしゃれに見えるから」という理由だけでこれまで服選びをしていたなら、今日からは「服やデザイン」「色のイメージ」を考慮しながら、あなたの価値を高め、内面を伝えてくれる服を、ツールとして使いこなしていきましょう。

服の印象でいちばん大きな面積を持つ「色」については、第4章で詳しくご説明しますね。

デザイン×認知心理学 =「ファッションの知恵と力」

あなたがウェブやお店で商品を見て、「これ、いいな」と思うのはなぜでしょうか？「このような商品が欲しかった！」「こんなものがあったのか！ 試してみよう」という理由が多いのではないでしょうか？ ものや商品については必要に応じてその場で即決購入、ということもよくありますね。

では、仕事で着用する服についてはいかがですか？ 何を基準に購入しているのでしょうか？「仕事服については無難がいちばん」と思っていませんか？

人に見せることなく使うものであれば、どのような基準で購入してもよいのですが、自分で選んだ仕事服を着用し仕事に行くということは、あなた個人である前に、会社の看板を背負った社員の装いとして他者には映ります。つまり、社員として働くということは、会社のブランドの一端を担うということであり、同時にあなたが所属する企業のイメージになります。ですから、自分では「かっこいい」と思っていた服が、じつは世間の目には「カジュアルすぎて真剣に仕事の話をする気になれない」と映っているかもしれないのです。そして、そのことに気づかないまま、「カジュアルでかっこいい」その服を着続けているとしたら、会社のイメージダウンに繋がり、あなたの評価も下がります。

「暑いし、ソックスは蒸れるし、ファッション情報にもあったから、イタリア人みたいなくるぶし丈に素足でも、おしゃれに見えるから大丈夫だよね？」とか、「一流ブランドのジャケットにパンツだから、スタイリッシュでかっこいいし、ノーネクタイでも大丈夫だよな？」はNGです。例えば、メガバンクの公認会計士の人がそんな短めパンツスタイルや、ノーネクタイで何億円ものお金を動かす会議の席に出てきたとしたら、教養や良識を疑ってしまうでしょう。

そのような、場にふさわしい装いのできない人に、あなたは大切な会社の資金を信頼して託せますか？

デザインは言葉を持っているとお話ししました。自分が話をする前に、くるぶし丈のパンツやノーネクタイの外見が、あなたの印象を気ままにしゃべってしまうのです。

服や身につけたものが本人の代わりに言葉を発しているというだけでなく、それを見て受け取る側にも、言葉が生まれています。

着た人の発するメッセージが正確に伝わるならよいのですが、それは受け取る人によって様々で、制御が利きません。受け取る側の人の頭の中では、その人の持つ言葉が無意識に当てはめられ、瞬時に、しかも勝手にその人を判断してしまうのです。

ビジネスシーンでは、デザインだけで服を選ぶのではなく、認知心理学を念頭に置いてその場にふさわしい服を選ぶことが重要なのです。

認知心理学とは何か？

「デザインとは徹底的に思惟《しい》すること。問題解決するためのツールである」

これは、私が学んだ高校の産業デザイン科の初日に、先生から教えられた言葉です。

その日まで「デザイン＝感性」と信じてきた私は、「デザインとは真摯《しんし》に向き合うことでこの世の中を変えていくことのできる知恵と力を秘めた学問」なのだと知りました。

１９６４年の東京オリンピックで世界中の人が集まったとき、情報を間違いなく伝えるために必要なものとは何かを徹底的に考え、作られたものがピクトグラムでした。何十カ国もの異なる言語を使う人たちが一堂に集う会場で、誰もが競技種目を一目で認識できなくてはなりません。ピクトグラムがスポーツイベントに登場したのはこのときが世界初で、これをきっかけに世界に広まったとされています。

これこそ、デザインの力の象徴ともいえるものです。きっとあなたも、日々ピクトグラムを目にしているはずです。

太古からある絵や抽象画や象形文字、丸や三角、四角などの基本的な形をはじめ、人物や顔など造形としてのデザインもありますが、じつは、形そのものにも意味があり、イメージと言葉を持っているのです。

人は丸いものを手にしたとき、無意識にギュッと握ってみたりするでしょう。一方、三角形や四角形などの場合は、尖った形状から、誰もギュッと握ろうとは思いませんよね。

色や素材についても同様です。例えばシルバーと聞くと、ひんやりと冷たい感じがします。同じ金属でもゴールドとなると、重そうと思うかもしれませんが、冷たそうとは思わないのではないでしょうか。これもデザインや素材の持っているイメージと言葉です。

人間は幼い頃からいろいろなものを見て、感じて、触ってきた経験に基づいて、知覚・理解・記憶・思考・学習・推論・問題解決をしながら、あらゆるものを認知し、情報として受け取っています。ですから、目の前の人が着ている衣服の形、デザイン、色、映画や物語の中で似たような服を着ていた人物、それらの衣服の持つイメージと言葉を重ねながら、無意識にその人物の印象を判断しているのです。

私がパナソニックの研究開発部からアパレル業界へ転職した当初、「何となくかっこいい」とか「〜的な」「〜っぽい」というような、アパレルでごく普通に使われている言葉が全く理解できませんでした。なぜなら「デザインとは徹底的に思惟すること」と教えられてきたので、すべての衣服のデザインには制作意図とデザインに宿る哲学があると思っていたからです。新人の私が先輩たちに質問をしても「ファッションは理屈じゃなくて、感性なの！」という答えしか返ってきませんでした。

ですから、自分でファッションの歴史を繙《ひもと》き、洋装の源流から衣服を学ぶことで、すべての衣服には歴史的背景と、デザイン意図があることを知りました。日本の和装文化にも歴史と共に継承されてきた意匠があり、花鳥風月を衣に映し味わうことが、装いのマナーに繋がり、今日まで伝承されています。

日本には「守破離《しゅはり》」という言葉があります。「守」で目指すのは、しっかりとこなせる「優秀者」。「破」で目指すのは、既存の枠を破っていく「変革者」。最後の「離」で目指すのは、新しい枠を生み出す「創造者」です。

この話はよく販売員教育研修時に紹介するのですが、ファッションにおける守破離は次の要件になります。

「守」：衣服の歴史を知り、着方の基本を身につける
「破」：基本の着方を元に自分なりにアレンジを加える
「離」：自分の哲学を元にスタイルを完成させる

ビジネス・カジュアルはこの「破」の部分にあたります。

ファッションとは何となく漠然としたもの、と考えていたかもしれませんが、ファッションの持つ「知恵と力」を知り、認知心理学を有効に活用しながら、毎日身につける衣服を自分の人生や仕事に有効に使いこなしてください。

形や柄が与える「印象」を言語化する

すべての衣服はイメージと言葉を持っていると、お伝えしてきました。では具体的にどんな言葉を持っているのでしょうか？

今、あなたの目の前に四角が強調され、角が立つような硬い革のバッグがあります。持ち主はどんなイメージの人でしょう。きっちりしていて、整理整頓が得意、シャープな頭脳の持ち主などなど、堅い印象の職業の人を想像しませんでしたか？

では、反対に曲線的なラインで丸みのあるトートバッグを持っている人は、どのようなイメージでしょうか？　穏やかで柔らかな印象の人ではないでしょうか。

○や△という形から連想される言葉やイメージは、それぞれ違いますよね。

同じように、ネクタイの柄がストライプと水玉では印象が変わります。

先ほどもお伝えしたように、すべてのデザインは言葉とイメージを持っていることを実感していただけたと思います。

ではこれまであなたが身につけてきたネクタイの柄やスーツの色、バッグはどのようなデザインでしたか？　ヘアースタイルや眼鏡はいかがでしたか？

じつは、映画やドラマの登場人物の衣装は、このような衣服の持つ言葉やイメージを緻密に計算し、その役柄のキャラクターの内面を視覚情報化して決められていくのです。

同じようにコンビニに並ぶペットボトルの飲料のデザインも、中身が一瞬で伝わるよう

[図 2-1] 基本形の印象

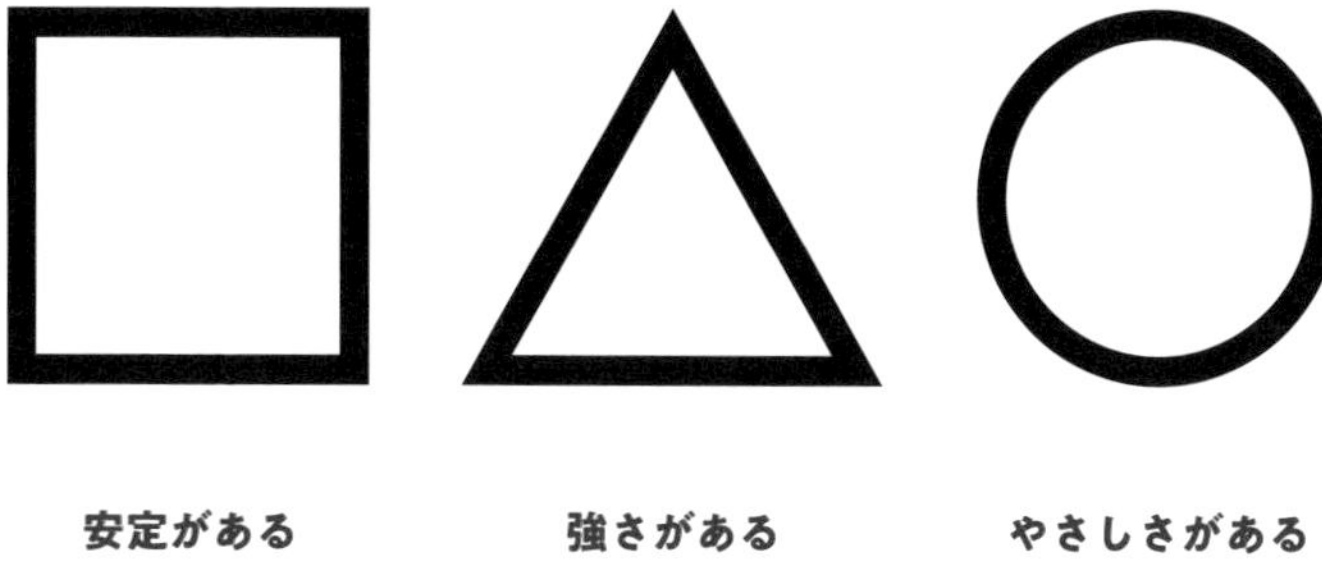

設計された視覚情報化されたデザインなのです。

形や色が持っている言葉やイメージから、人に与える印象をファッションで自在にコントロールしましょうと提唱してきたのが「服飾戦略」です。

例えば、シャツのディテールでいうなら、襟の先端が長く尖っているシャツと丸みのある襟のシャツとでは、これもまた相手に与える印象が違ってきます。尖っている襟先、グレーとダークネイビーのストライプのネクタイ、四角くシャープなカフリンクスに、ひんやりとした光沢感のある深いネイビーのスーツに、四角いアタッシュケース。このようなスタイリングから連想するのは、冷静・緻密・正確さ、信頼や気品。このように衣服が持つ言葉とイメージで自分を演出することが可能なのです。

あなたも、自分が着ている服の形や柄が、人にどのような印象を与えているのかを見直してみてください。

そして、自分の表現したい印象になる言葉を持った衣服を選び身につけて、ファッションをツールと考え、賢く使いこなしてくださいね。

例えば、「今日の取引先は戦略的にクールでかっこよく見せた方が商談をうまく進められる」と思ったら、基本のネイビーのダークスーツに白いシャツ、濃紺のネクタイとなるでしょう。ビジネス・カジュアルであれば、ネイビーのジャケットにウールのセンタープレスの利いたグレーのパンツ、白いシャツにネクタイ、足元は革靴でビジカジ度数「★」までが目安となります。

人情家の社長に商談に行くならば、ライトグレーのジャケットに柔らかな淡いピンクのボタンダウンシャツ、濃紺のパンツ、ローファーというように、親しみやすさや温かみのある服を選びましょう。

ビジカジ度数「★★」のコーディネートで商談、ということもあるかと思います。

ビジネスの目的に合わせて衣服の持つ言葉とイメージを考慮し、相手へのリスペクトを重ねたスタイリングを心がけてください。

幾何学的錯視で
おしゃれに「見せる」

あなたは「錯視《さくし》」という言葉を耳にしたことはありませんか？

「だまし絵」ともいわれることが多いのですが、目から脳へと伝わる情報に矛盾が生じ、実際の現実とは異なる認識を引き起こす視覚現象のことです。

例えば、外側に開かれた矢羽を繋ぐ直線（>—<）は、内側に向けられた矢羽を繋ぐ直線（<—>）よりも長く感じられます。しかし、ものさしでそれぞれの直線の長さを測ると、実際にはどちらも同じ長さなのです。この目の錯覚の多くは、「錯視」として脳内で起こっている現象とされています。

ここでは、脳のメカニズムを知り、錯視を応用しながら、ファッションをかっこよく見せるためのワザを学んでいきましょう。

ファッション誌を見ていると、「やせ見え」「高見え」「小顔効果」「脚長効果」といった用語が次々に飛び出してきます。

先に種明かしすると、こうしたファッション用語のほとんど全部に、この錯視が隠されているのです。

ファッション誌でよく見られるテクニックは、「幾何学的錯視」という現象を利用したものです。それを「三つの首（首・手首・足首）を出しなさい」というように、難しく感じさせないように上手に紹介していたというわけです。

［図 2-2］ 矢印の錯覚

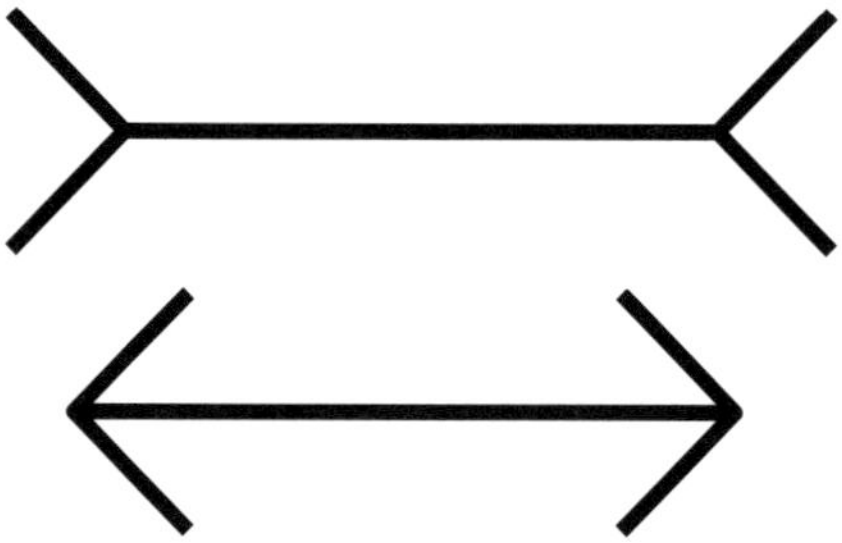

実際、「確かに何となくそう見える」というところは変わらないので、取り立てて学問的なことを説明するまでもなかったのでしょう。

この10年の間に、「ファッションはロジックだ」とブログやSNSで発信する人が増えてきましたが、そのロジックが指しているのは、「服の組み合わせのルール」についてがほとんどです。学問としてのファッションデザイン理論についての言及は、まだほとんどされていないのが現実です。今回は「デザイン理論」の中に登場する錯視の中から、ファッション効果の高い四つの方法をご紹介します。

デルブーフ錯視とエビングハウス錯視

最初に紹介するのは、「デルブーフ錯視」です。これは、1865年、ベルギーの哲学者・数学者・実験心理学者であるヨーゼフ・レミ・レオポルト・デルブーフ（1831〜1896）が考案したといわれる錯視です。

一つの円の周りを大きな円環で囲む（円同士の距離がある）と、中心の円は小さく見え、小さな円環で囲む（円同士の距離が近い）と、中心の円は大きく見えるというものです。ところが、実際の中心の円形の大きさは全く同じです［図2-3］。

デルブーフ錯視と同様の原理による錯視が、ドイツの心理学者ヘルマン・エビングハウス（1850〜1909）にちなんで命名された「エビングハウス錯視」です。大きさの対比効果を表すものとしてよく使われています。また、エビングハウスは「忘却曲線」の発見者としても知られています。

同じ大きさの円が二つあり、一方の円の周りをいくつかの大きな円で囲むと、中心の円は小さく見え、もう一方の円の周りをいくつかの小さな円で囲むと、中心の円は大きく見えます［図2-4］。ちなみに、この錯視はヒト以外にイルカでも確認されているそうです。

それでは、これらの錯視をファッションでどのように活用するのでしょうか。

ここで使うアイテムは、帽子やマフラーです。顔の周りに使うことで、「小顔効果」を引き出せます［図2-5］。つばの狭い帽子は顔の大きさを強調することになり、つばの広い帽子は顔が小さく見えるのです。深くかぶるほど、その効果はアップするでしょう。反対に、温かいからといって、深く考えずにニットキャップなどをかぶると、顔が目立つことになるので注意が必要です。

同じように、幅の細いマフラーを巻くと顔が大きく見え、幅の広いマフラーを巻くと顔が小さく見えてきます。

人の印象を語るときのことを思い浮かべてみてください。

例えば、ランチで同じ店にいた人についてオフィスに帰ってきて思い出したとき、ある人は「大きな帽子をかぶっていたあの人」となるのに対して、そうでない人は「目の大きなあの人」のようになります。帽子をかぶっている人は帽子の存在感によって顔の印象が薄れる一方、そうでない人は顔の印象だけが強く残ることになるわけです。

自分の印象について第三者の注意をそらしたい場合は、顔の周りにボリュームのある大きなものを置き、逆に、視線を引きつけたいときは、顔の周りに小さいものや細いものを

[図 2-3] デルブーフ錯視

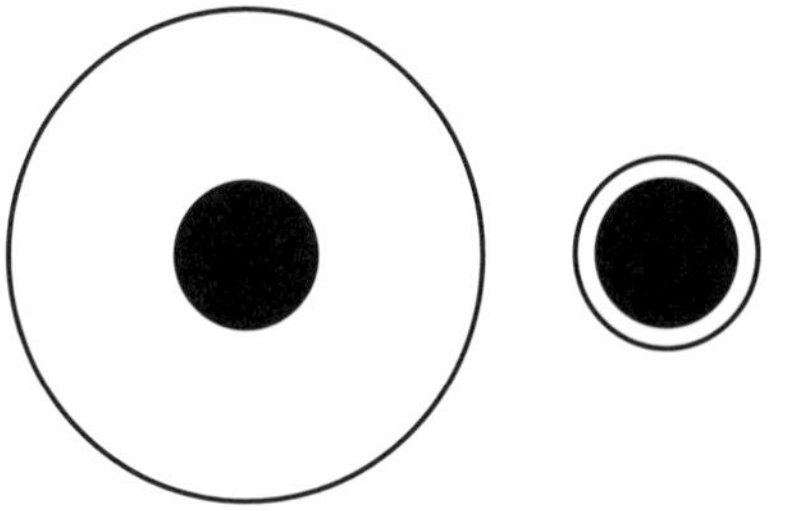

[図 2-4] エビングハウス錯視

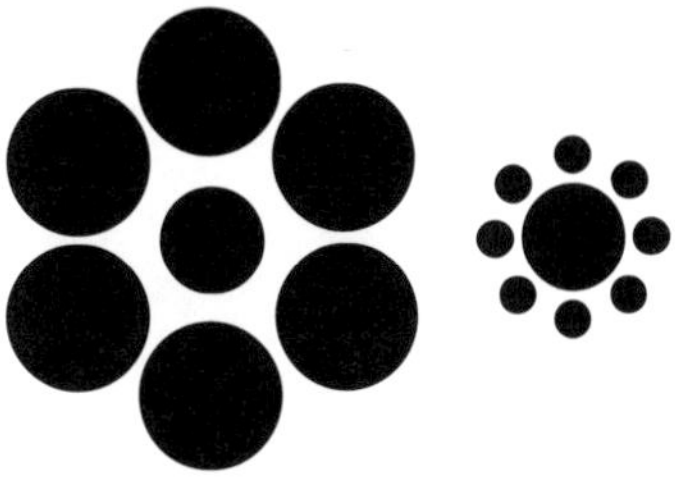

[図 2-5] つばの狭い帽子と広い帽子／幅の狭いマフラーと広いマフラー

置くか、または何も置かないという使い方ができます。

デルブーフ錯視、エビングハウス錯視はどちらも同じ原理に基づく対比効果です。効果的な錯視の知識を知っているのと知らないのでは大きな違いがあります。服やアイテムは、錯視を理解した上で上手に選びましょう。

フィック錯視

身体の中心に縦ラインを作るとスリムに見える、という錯視があります。同じ長さの図形は、横向きに置かれたものよりも縦向きに置かれたものの方が長く見えるという「フィック錯視」によるものです［図2-6］。横向きに置かれたものは幅が広く、縦向きのものは幅が細く見えるのです。これはドイツの生理学者・物理学者・医師のアドルフ・オイゲン・フィック（1829〜1901）によって提唱されました。

同じ長さの長方形をT字形に組んだ直線同士であってもその見え方は同様で、横線と縦線は同じ長さなのに、縦線の方が長く見え、横線の方が短く太く見えます。T字形を90度傾けても、元の縦線の方が長く見えるのも不思議です。

フィック錯視は、「垂直-水平錯視」とも呼ばれ、この謎は基礎心理学の世界でもいまだに解明されていないそうです。

この錯視の活用方法として最も知られているのは、「やせ見え効果」です。身体の中心の縦ラインを意識したコーディネートは、背を高く見せたいときにも効果的です。

例えば、［図2-6］のコーディネート例の左の、黒いジャケットを着て前のボタンは留めずに開け、中にグレーの丸首インナーを合わせればスリムに見えます。ところがジャケットの前ボタンを留めてしまうと、縦ラインが分断されV字形になるのでシャープな印

［図 2-6］フィック錯視

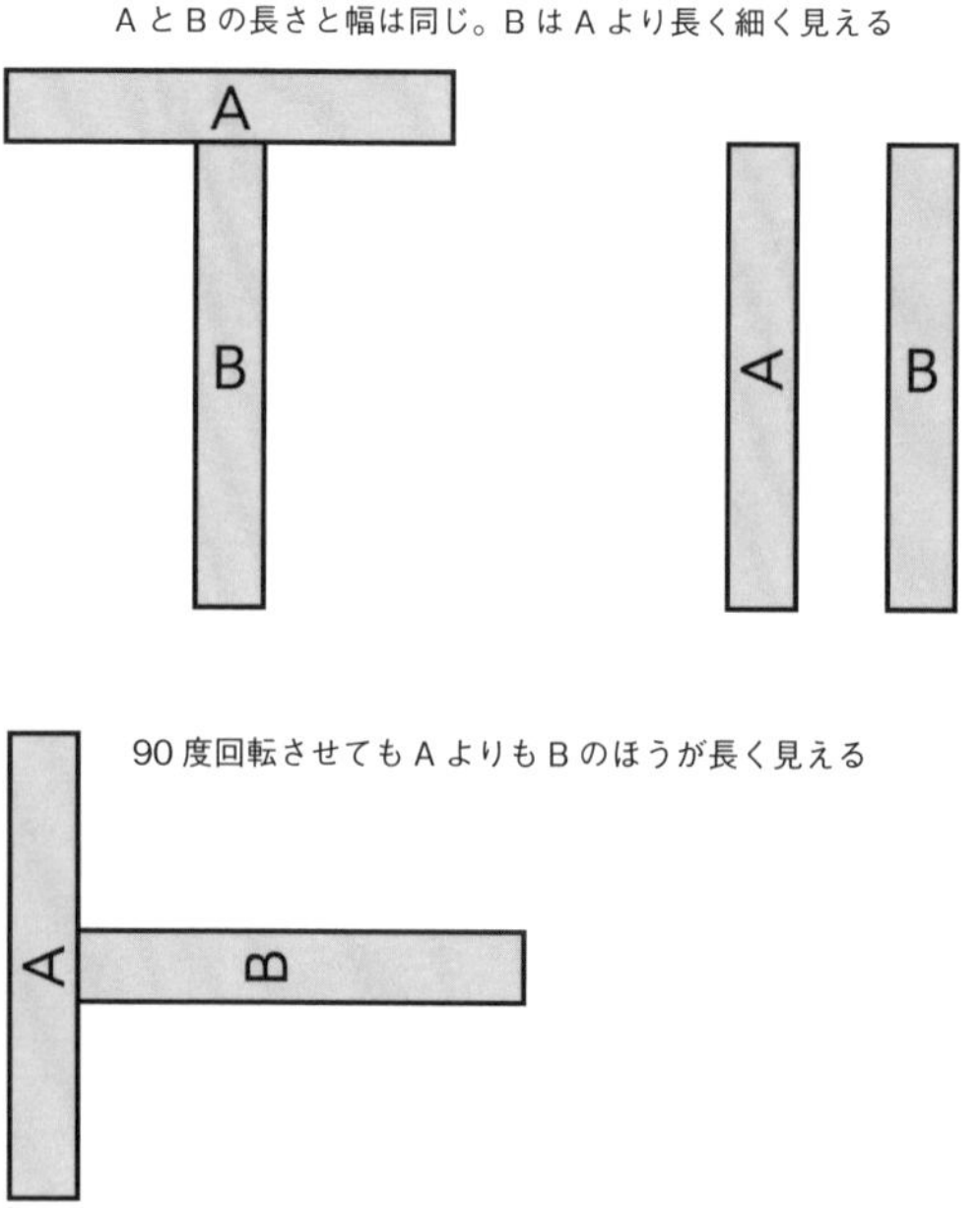

AとBの長さと幅は同じ。BはAより長く細く見える

90度回転させてもAよりもBのほうが長く見える

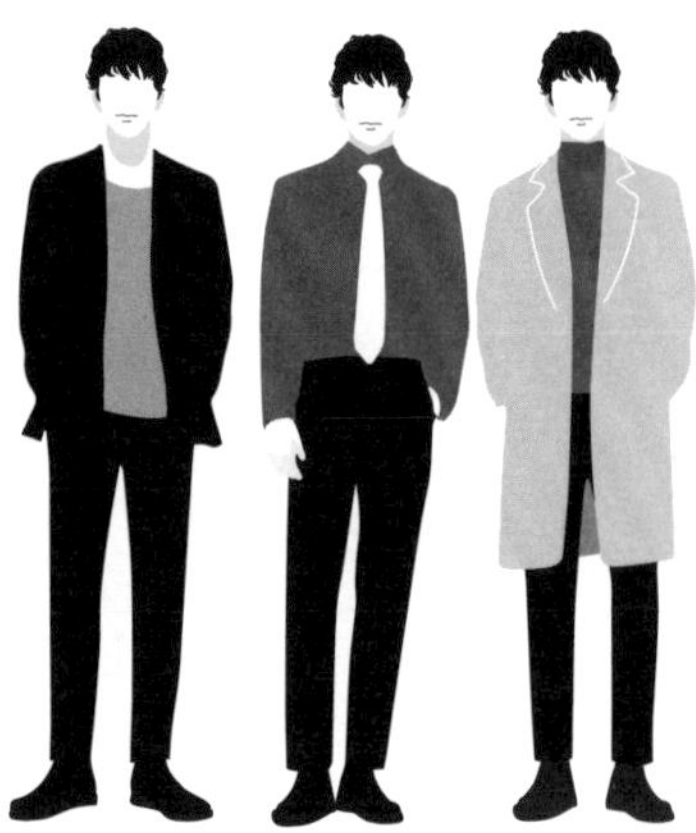

身体の中心の縦ラインを意識したコーディネート例

象が半減してしまいます。

ネクタイも、身体の中心に明確な縦線を描くので、やせ見えに役立つアイテムです。ただし、ネクタイの先はベルトにかかる位置にしてください。長すぎても短すぎてもいけません。右側のコートを羽織っている人も、ひざまでの縦ラインが長い分だけやせ見え効果が出ています。

ファッションデザインにおいても、様々な錯視が使われています。代表的なものはタキシードで、上着の丈を短くし、パンツ脇に白い線を入れることで脚が長くスマートに見える錯視効果があります。同じような錯視効果としては、スポーツ用のジャージ上下のサイドにラインがあるのもそうですし、美脚パンツなどではパンツのサイドを縦ラインで分割したり配色を切り替えたりして、脚を細く長く見せる効果を持たせています。

フィック錯視の横方向効果の代表的なデザインは、軍服に使われている肩章（エポレット）です。肩幅が広く胸元も大きく見えるという効果があります。少しマッチョに見せたいのであれば、肩章つきのトレンチコートなどが効果的です。

ミュラー・リヤー錯視

「ミュラー・リヤー錯視」は、同じ線分の両端に内向きの矢印を加えたときと、外向きの矢印を加えたときで、長さが変わって見えるものです。ドイツの社会学者・心理学者フランツ・カール・ミュラー・リヤー（1857〜1916）が考案しました。

矢印部分の色を変えたとしても、線の長さが違って見えるため、矢印の効果が失われないことがわかります。また、図の向きを縦にしても横にしても、見え方は同じです。

ファッションでは、この内向きの矢印がついた線を身体の中心に縦に置くことで、「背が高く見える効果」に応用できます。［図2-7］のように、VネックのTシャツやニットを着て足に高さのあるものを履くと、背が高く、スリムな印象に見えることがわかります。

イタリア人のようにシャツのボタンを二つほど開け、足元をロールアップにして素足でくるぶしを見せるような着こなしは、縦長の効果を十分に活かしているということになります。ただし、ビジネスの場では、胸をはだけた状態はNGです。背を高く見せたいときは、深めのVネックのベストなども効果的です。

反対に、丸首のTシャツやタートルネックのニットなど、首の詰まった服を着て、かかとの低いシューズを履いたときは背が低く見えます。

［図 2-7］ミュラー・リヤー錯視

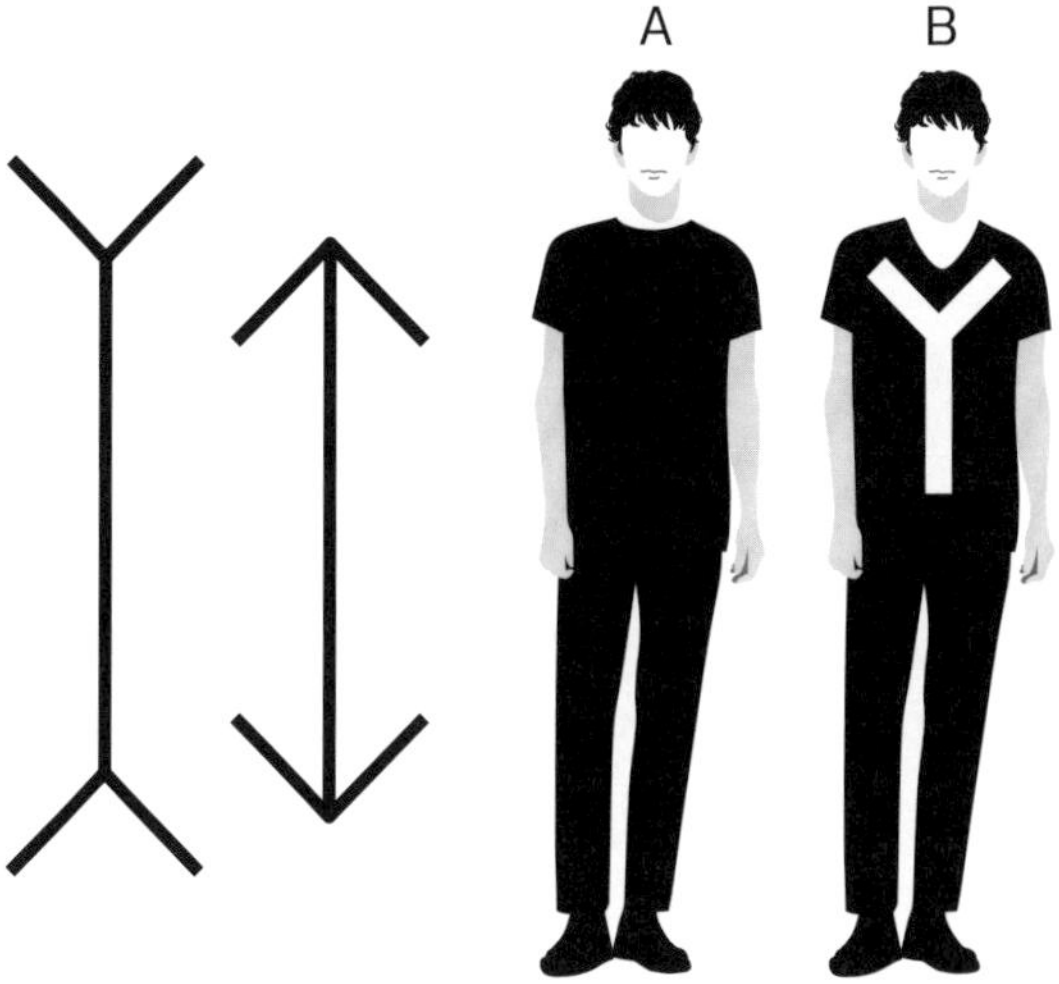

Aは丸首のTシャツ、BはVネックのTシャツ。着ている人は同じだが、BはAよりスリムに見える

これが、外向きの矢印の線を当てはめた場合の見え方です。靴の選び方で実際に高低差が出てしまうわけですが、ほんのわずかの差が意外と大きな差になって見えるということです。

女性には、ハイヒールという強力な武器がありますが、しかし、男性の場合は足元で圧倒的な違いを作れないため、やはり上半身が重要です。Vネックか丸首かによって全く印象が違ってきますので、首元のデザインは重要なカギとなります。

ミュラー・リヤー錯視とは違いますが、丸首を着たときは顔が丸く見え、Vネックを着たときは顔が細く見える効果もあります。これを「エコー錯視」といいます。

さらに、矢印のついた線を縦にしたときは、三次元的に見ることもできます。垂直線が長く見える方は壁のコーナーが遠くにあって奥に向かっているように見え、短く見える方は壁のコーナーが手前に迫ってくるように見えるというわけです。

また、ミュラー・リヤー錯視はフィック錯視も生じることがわかっています。ミュラー・リヤー錯視は、先に紹介したフィック錯視と合わせれば、より身長アップとスリム効果があります。

あなたも全身の映る鏡で錯視の効果を試してみてください。今までの着方を少し変えるだけで効果がありますよ。

ヘルムホルツの正方形

二つの同じ大きさの正方形の中に、一つは縦縞、もう一つは横縞を配置したとき、縦縞は横長に見え、横縞は縦長に見えるというのが「ヘルムホルツの正方形」と呼ばれる錯視です。縞の幅を変えても同じ錯視が出現します。このとき、正方形の周囲の枠線は外す必要があります。

この幾何学的錯視は、ドイツの生理学者・心理学者・物理学者ヘルマン・フォン・ヘルムホルツ（1821〜1894）によって指摘されました。

ファッションの世界には、一般的には縦縞は背が高く見え、横縞は太って見えるという定説があります。ところが、丈の短いTシャツのように、上下と左右がほぼ同じ長さで正方形に近い服の場合、縦縞よりも横縞の方が細くスリムに見える場合があります。

ラグビー選手が着るようなラガーシャツには、太い横縞が見られます。これは体格を大きく見せるためという意図があるそうです。外国の大柄な選手にも堂々と当たっていけるよう、気持ちを奮い立たせる効果もあるのかもしれません。2023年のラグビーワールドカップ日本代表のユニフォームも赤と白の横縞です。しかも強靭な「かぶと」をコンセプトにしているそうで、胸から腹部にかけて前に浮き出ているように見えますね。ここでも錯視を効果的に使っています。

[図 2-8] ヘルムホルツの正方形

横縞が縦長に見えるという「ヘルムホルツの正方形」の錯視はファッションコーディネートにおいて、時に注意が必要ですが、縦縞がスリムに見えるという錯視が一般的です。

［図2-8］では、錯視がわかりやすくなるよう、あえて太い縦縞を入れています。ビジネス・カジュアルでは、生地とほとんど色の差のないピンストライプの入ったセットアップくらいまでが許容範囲です。また、上下の色を分断させないこともポイントです。例えば、ネイビーブルーの生地にライトブルーのストライプが入ったジャケットに無地のパンツを合わせるときは、パンツの色は必ずネイビーブルーかライトブルーにするということです。ジャケットのどちらかの色を必ずパンツにも使うということになります。

また、体型をよりスリムに見せるためには、全体的にダークトーンの服を選ぶことが大切です。特に黒や濃いネイビーのパンツやジャケットは、シルエットを引き締める効果があります。

第3章

【新常識3】
似合う服は「型」ではなく、「自分の体型」で決まる

コロナ禍と筋トレブームで身体のシェイプを意識

アフターコロナ以降、私は「食事・運動・睡眠」を中心に健康管理に気を配るようになりましたが、あなたの生活には何か変化がありましたか？

それまでは何となく通っていたスポーツジムでも、「筋トレ」や「免疫効果を上げる強い身体」になるような運動を心がける人が増えました。また、２０２０年のコロナ禍をきっかけに、自宅でできるトレーニングがYouTubeなどで「宅トレ」として大ブームになり、ヨガや筋トレも自宅で気軽に楽しめるようになりました。さらに、「すきま時間ジム」「5分のちょいトレ」をキーワードに、空き時間を使って身体を鍛えることやセルフエステなどが急速に広がっています。

多くの人にとって、自分の身体のシェイプについて考えることが増え、もはや毎日の生活の一部になっているのを感じます。

身体を鍛えて免疫力を高め、健康面に気をつけ、自分の身体と向き合って生活する人が年々、増えています。

トレーニングで身体を作っていく上でよい目安になるのが、実をいうと「服」なのです。

コロナ禍後、久しぶりにスーツを着てみたら入らなかったということはありませんでしたか？　太るとすぐに着られなくなったり、ウエストがきつくなってボタンが留められなくなったりするように、体重計に乗るだけではなかなかわからない細かな身体の変化を、服が最初に教えてくれるのです。

また、色は感情や振る舞いに影響を与えるとされています。青い部屋に入ると寒く感じたり、赤い部屋に入ると暖かく感じるなど、様々な生体反応を引き起こします。服はそのときの気分を測るバロメーターといわれたりしますが、それだけでなく、身体作りや体調管理のためのバロメーターの役割も兼ねているのです。

鍛えた身体をより魅力的に見せる服選び

ここからは、自分の体型を知り、服のトリックを最大限に活かして魅力的に見せるための服選びを実践していきましょう。

私が参考にしている「body shape type（ボディタイプ診断）」は、アメリカ・フランス・イタリア・ロシアをはじめ、世界中のファッションのプロが使用している世界標準の診断法です。

ボディタイプ診断とは、人の体型を5つのタイプに分ける体型診断法です。

体型診断法といえば、一般的に知られているのは「骨格診断」ですね。

ストレート、ナチュラル、ウェーブという3タイプに体型を分ける骨格診断を、一度は試したことがあるのではないでしょうか？

しかし、この骨格診断は日本だけで使われているもの。ボディタイプ診断は、骨格診断が誕生する前から世界中でスタイリングの参考に使われている、いわば世界標準の体型診断です。

body shape type は、１９８０年代頃から、美容や健康などへの意識の高まりと共に広まりました。体型をパターン化することでアドバイスがしやすいため、ファッション業界でも一般的になり、今でも世界中の多くのプロたちはこのボディタイプ診断を使っています。

リンゴ型、洋ナシ型、砂時計型、長方形型、逆三角形型などの分類でも知られていますが、世界中に広まる中で、より細分化されたりもしていますが、あまりに多いと判断が難しいため、私は5つのタイプ診断を活用しています。

私がファッション情報サイトとして使用しているPinterestは、画像をアップロードしたり、好きな画像を収集したりして楽しめるアメリカ生まれの写真共有サービスです。このサイトでもbody shape typeが使われていて、女性のボディタイプはさらに細分化されたものもありますが、メンズでは5パターンのボディタイプが主流です。

ですが、診断はあくまで「目安」であり、大事なことは、どんな体型であっても「鍛えれば、体型は変えることができる」という点です。おそらく、今、少しお腹が出てパンツのウエストがきついという人でも、10代後半から20歳くらいのときにはスリムで体重の軽い時期があったはずです。

ですから、体型はその時々で変わっていくものという認識を持ち、理想の体型を目指してください。

本書では5つのボディタイプを紹介していきますが、時々の環境や健康状態によっては体型に変化が起こりますので、以下の説明を参考にして現在の体型に合う服を選んでください。

人の体型は5つに分類できる

あなたの体型はどれに当てはまるのでしょう。

93ページの［図3-1］で、ボディタイプのチャート診断をしてみてください。

ボディタイプは、①長方形タイプ、②三角形タイプ、③逆三角形タイプ、④台形タイプ、⑤楕円《だえん》形タイプの5つに分類されます。あなたのボディタイプのページを見ると、体型の特徴や、バランス良く見せるスタイリングのポイントがわかります。

注意点

①体型は「良い、悪い」ではない

ご紹介するボディタイプは、あくまでも服を身につける上での「目安」です。

特徴を「情報」として捉え、自分の身体を否定せずに、まるごと受け入れることが、「理想の自分」というゴールへの第一歩です。

②一つの型にとらわれない

「自分は台形タイプ」と思っていても、年齢を重ねるうちに三角形タイプや楕円形タイプに近づくことはよくあります。また、もともと複数のタイプが混ざっているということもあるものです。先入観をなくして、できるだけ客観的にトライしてみてください。もし、自分のタイプをどれか一つに絞るのが難しい場合は、「ミックスタイプ」として複数のタイプのアドバイスを読んでみましょう。

③「目安」を知るという気持ちでトライする

体型診断はあくまで「目安」です。最終的には試着をして判断してください。

では、このチャートでご紹介する体型の特徴をご説明しますね。

①長方形タイプ（やせ型体型）

・肩幅が狭い
・胸板が薄い
・ウエスト、ヒップは細い

全体に細くて身体に厚みがないやせ型体型です。肩幅も、ウエストやヒップの幅とほぼ同じくらいです。既製品のシャツやスーツなどの身幅が緩くなります。

②三角形タイプ（隠れ肥満体型）

・腹だけが出ている

[図 3-1] ボディタイプチャート診断

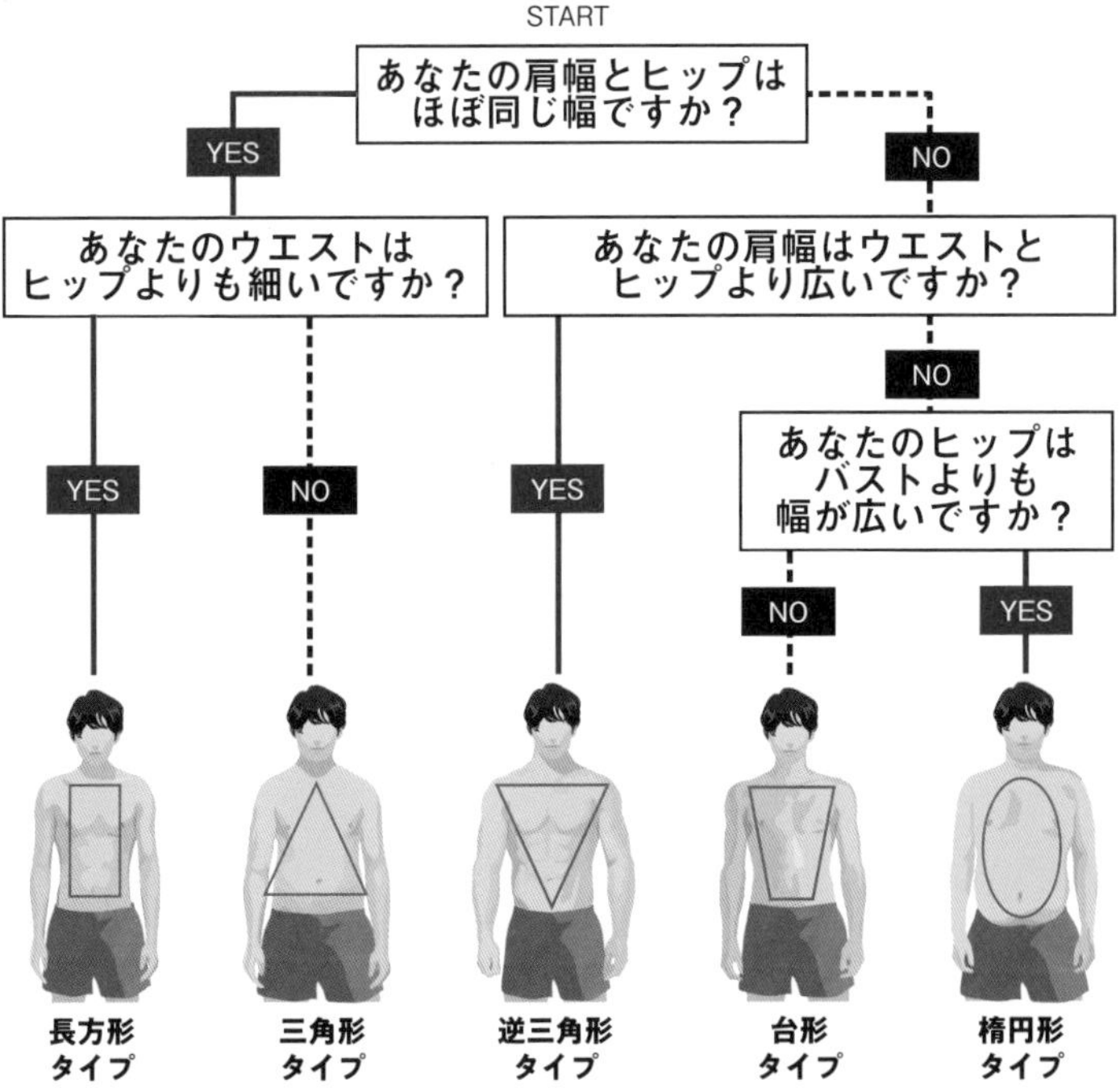
START
あなたの肩幅とヒップはほぼ同じ幅ですか？
YES
NO
あなたのウエストはヒップよりも細いですか？
あなたの肩幅はウエストとヒップより広いですか？
YES
NO
YES
NO
あなたのヒップはバストよりも幅が広いですか？
NO
YES
長方形タイプ
三角形タイプ
逆三角形タイプ
台形タイプ
楕円形タイプ

[図 3-2] 診断する上での注意点

❶ 体型は「良い、悪い」ではなく、「特徴」「情報」として捉える

自分の身体という素材を否定せずに、まるごと受け入れることが「なりたい自分」というゴールへの第一歩です。

❷ 一つの型にとらわれない

「自分は長方形タイプ」と思っていても、年齢を重ねるうちに異なるタイプに近づくことはよくあります。また、もともと複数のタイプが混ざっているということもあるものです。先入観はなくして、できるだけ客観的にトライしてみてくださいね。もし自分のタイプをどれか一つに絞るのが難しい場合は、「ミックスタイプ」として複数のタイプのアドバイスを読んでみましょう。

❸ 気楽にトライする

後ほど詳しくお伝えしますが、体型診断はあくまで「目安」です。最終的には試着して判断すればよいので、アドバイスは気楽に読んでくださいね。

・ウエスト、ヒップが大きい
・肩が貧弱に見えやすい
・足が細く見える

腹回りに厚みがある隠れ肥満体型。ウエストを底辺とした二等辺三角形が描けます。ほとんどの男性は年齢を重ねるにつれて、上半身と比べてウエストやヒップの回りが大きくなる傾向があります。既製品を着る場合、お腹回りがきつくなることが多いでしょう。

③逆三角形タイプ（元水泳部体型）

・上半身は下半身より幅が広い
・肩、腕、胸の筋肉が発達している
・肩幅が広く、ウエストが細い

肩幅が広く、ウエストが細い体型で、「元水泳部？」などと人によく聞かれるタイプです。この体型の場合、既製服では肩幅や腕周りがきつい場合が多いので、オーダーがおすすめです。

④台形タイプ（標準体型）

・肩幅が広めで、胸も比較的発達している
・ウエスト、ヒップはスッキリしている
・均整のとれた健康的で望ましい体型

標準的な体型です。多くの既製服はこの体型をベースに作られています。ほとんどの市販の服はにぴったりフィットしますが、多少の調整は必要かもしれません。

⑤楕円形タイプ（肥満体型）

・胴体は肩や腰よりも広く、お腹は丸く出ている
・顔はふっくらし、首は短い
・上半身に比べて脚は細い

胴体の中心が肩や腰よりも広いのが最大の特徴で、手足が短く感じられます。体型を最適にカバーするデザインを選ぶ必要があります。小さめな服は身体のボリュームを強調するので気をつけましょう。

次に5つのタイプごとに、服選びのポイントを解説し、具体的な「セレクトアイテム」「コーディネート例」をご紹介していきましょう。

全体に細く
身体に厚みがない

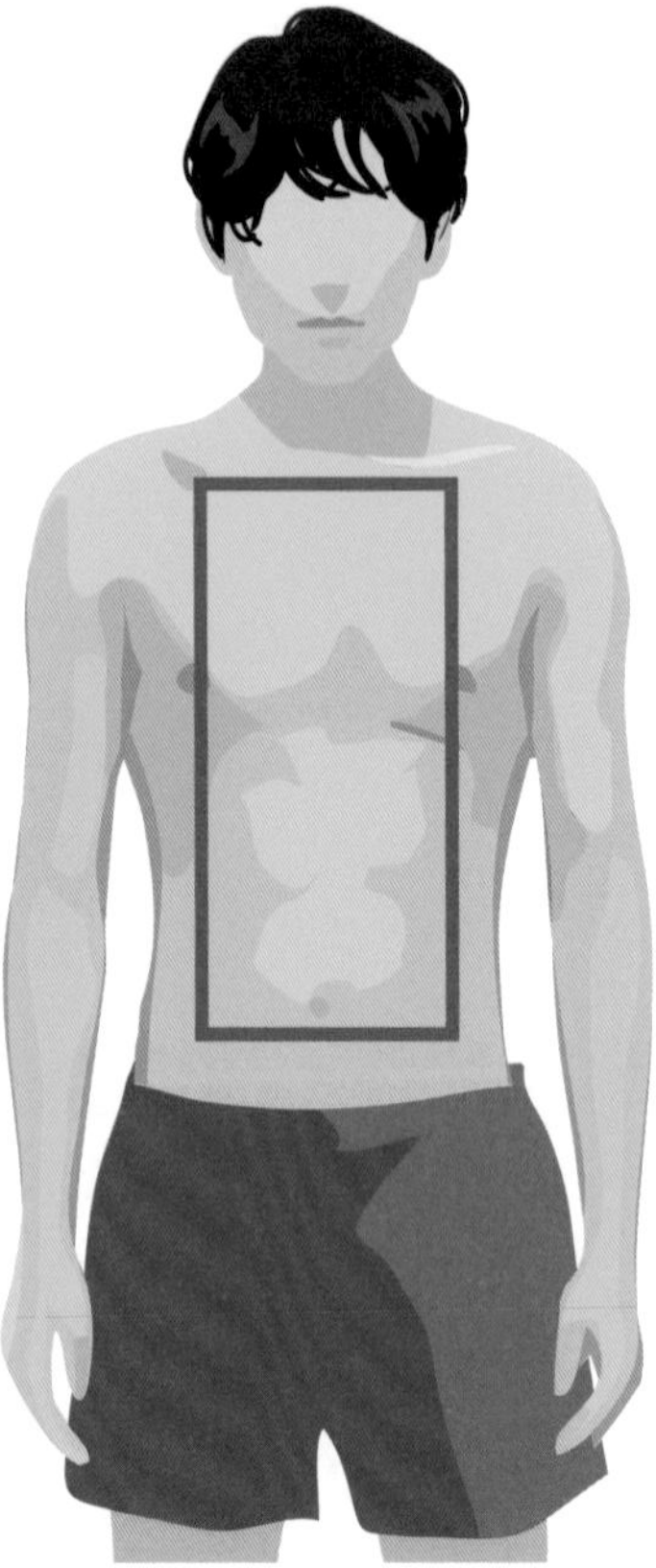

●肩幅が狭い
●胸板が薄い
●ウエスト、ヒップは細い

服選びの基礎知識

長方形タイプの男性は、細くて一般的に背が高く見える体型です。上半身にボリュームを持たせたデザインの服がよく似合います。肩が落ちすぎると、肩周りが貧弱に見えがちなので、ジャケットをはじめ、コートなどもオーバーサイズのものはすべて避けるようにしてください。

ジャケット／コート

・肩や胸回りのフィット感に注意して選びましょう。肩パッドが少し入ったものや、肩のシルエットがカチリと整ったものが長方形タイプの人に似合います。
・三つボタンのシングルブレストジャケットは、上のボタンを二つ留めることで胸回りに厚みが出ます。また、段返りの三つボタンジャケットも胸元が立体的に見えバランスが取りやすくなります。

シャツ／Tシャツ

・細すぎず、ダブつきすぎない、素材に厚みのあるものや、編み地に厚みがあるコットンのTシャツは体型全体を大きく見せる効果があります。襟や袖の長さも適切なものを選びましょう。ボタンダウンシャツの上にVネックや丸首のニットを重ね着することで、瞬時に上半身にボリュームを加えられます。

パンツ

・スリムフィットやテーパードされた形のパンツが似合いますが、細すぎないものを選びましょう。
・ドレスパンツ、チノパンツなど、適度なフィット感で足首に向かって細くなる形状のものが良いでしょう。

ベスト

・ジャケットの中に襟つきやニットの厚手のベストを重ねることで、体型に厚みが出るため、バランス良く見せられます。

✕ NG!

・オーバーサイズのものは避けてください。服にゆとりがありすぎると、子どもっぽい印象が出てしまいます。
・タイトすぎるものは、身体の細さが強調され、虚弱な印象が出てしまいます。
・もともと脚が長く見えるため、ハイウエストのパンツを履くと、身体全体のバランスが悪くなる傾向があります。

長方形タイプ：コーディネート例

ビジカジ度
Business Casual

★★★☆☆

ビジカジ度
Business Casual

★★★★★

長方形タイプ「ビジカジ度★★★★★」のコーディネート

厚手の襟つきカーディガン、レザースニーカーをセレクトしたカジュアル度が高い「ビジカジ度★★★★」のコーディネートです。

ジャケットではなく、カーディガンにするとカジュアル度が上がります。肉厚で編み目の詰まったカーディガンは、ヘチマ襟のアウトポケットつきをセレクトしました。適度なフィット感を保ちつつ、同時にボリュームを与えるので、長方形タイプの人には特におすすめです。

シャツはカッタウェイです。シャツの襟の開きは、レギュラー、セミワイド、ワイドの順で横に開いていきます。カッタウェイシャツはワイドよりさらに襟が開き、「180度以上開いた襟」とされ、やや後ろにカットされた襟型になっています。ノーネクタイでも襟元の崩れがなくスタイリッシュに見えるため、ビジネスやカジュアル問わずファッションに合わせやすいのが特徴です。

ベストは襟つきのシングルボタンにし、胸元に厚みを出しています。スリーピースの襟つきのベストはフォーマル度が高くなりますが、カジュアルにベストを楽しむ単品商品も増えています。黒系のグレンチェック、茶系のガンクラブチェックはジャケットとコーディネートしやすいのでおすすめです。着用するときは下のボタンを留めない「アンボタ

長方形タイプ：コーディネート例

ンマナー」を守りましょう。

パンツはウエストが紐タイプ、センタープレスのないカジュアル度の高いコンフォータブルテーパードパンツです。裾に向かって細くなるので、くるぶしが出ない丈を選びましょう。センタープレスのないパンツは長時間のデスクワークでも腹部に圧迫感がありません。

コートはピークドラペルのダブルブレストのショートコートを選びました。ピークドラペルは襟の切り替え位置が高く、肩から胸回りのボリューム感を出せます。中に厚手のマフラーを入れると上半身にボリュームが出ます。

バッグはカーキ&ダークブラウンでカーディガンとベストと同じ配色をセレクトし、統一したイメージの配色にしています。

長方形タイプ「ビジカジ度★★★」のコーディネート

ジャケットはラペルの折り返しが深く、着心地が楽な段返り三つボタンにし、中に薄手のニットをセレクトした秋冬向きの「ビジカジ度★★★」のコーディネートです。

段返り三つボタンジャケットは、いちばん上のボタンは留めず、真ん中のボタンのみを留めます。そうすることで、Vゾーンが深く見え、すっきりしたスマートな印象を与えてくれます。また、ラペルにふくらみがあり襟周りがふんわり立体的に見えます。

ボリュームを感じさせるよう淡いライトグレーのグレンチェックをセレクトしました。

インナーは白のボタンダウンシャツに、ダークなブルーグレーのVネックプルオーバーを重ねました。ジャケットの中に着るプルオーバーは腕の動きを邪魔しない、ウールのニットがおすすめです。

パンツはセンタープレスの利いたストレッチテーパードパンツ、色はプルオーバーの色に近いチャコールグレーです。

シューズとバッグは茶系のスウェードにし、堅い印象になりがちなモノトーンの衣服に柔らかさをプラスしました。

カッタウェイ
シャツ

シングル
襟つきベスト

ヘチマ襟
カーディガン

Vネック
プルオーバー

ボタンダウン
シャツ

段返り三つボタン
ジャケット

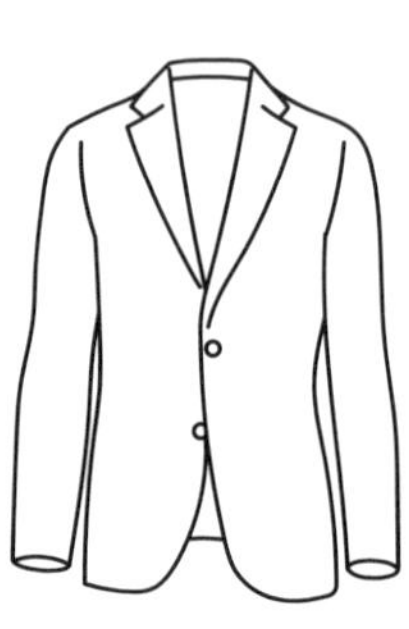

ピークドラペル
ダブルショートコート

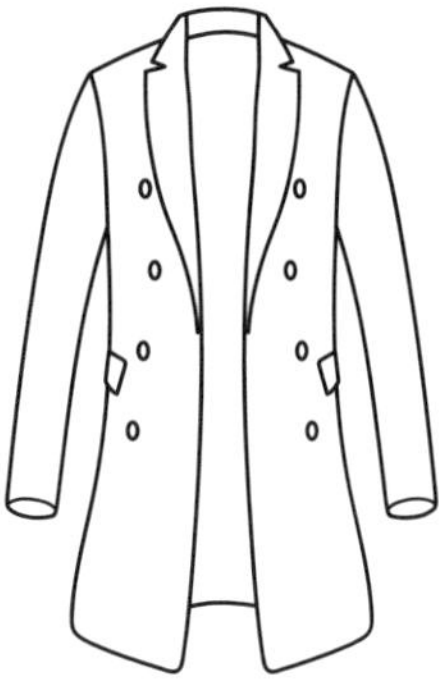

コンフォータブル
テーパードパンツ

ピークドラペル
ダブルショートコート

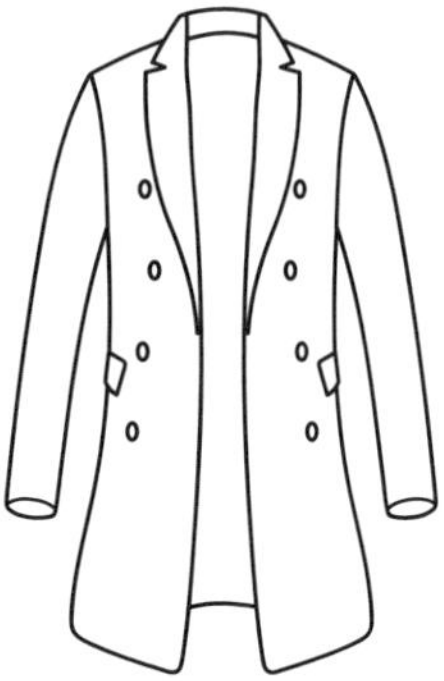

ストレッチ
テーパードパンツ

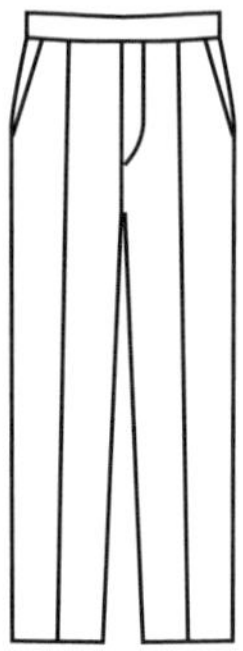

お腹が出ていて
腹回りに厚みがある

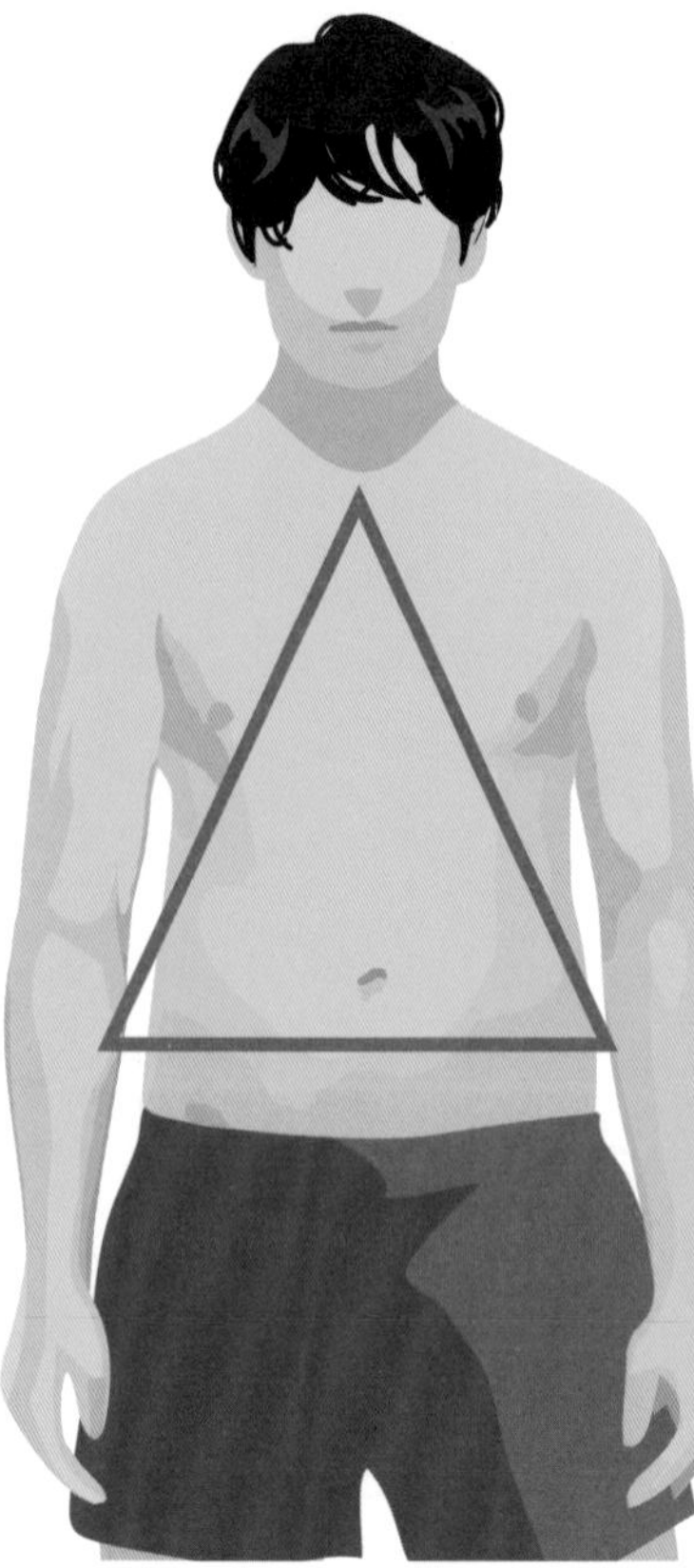

- お腹だけが出ている
- ウエスト、ヒップが大きい
- 肩が貧弱に見えやすい
- 脚が細く見える

服選びの基礎知識

三角形タイプは、隠れ肥満ともメタボともいえる体型です。お腹だけが出ている体型の人は、気になっている部分を正しくカモフラージュし、全体のバランスを整えることが大切です。既製品が合わない場合は、ジャケットとパンツをオーダーすることをおすすめします。

ジャケット／コート

・ラペル幅は８～９センチの標準的な広さで、ボタンの位置は低め、絞りの位置も低め。着丈はジャストからヒップがやや隠れるくらいの長さにします。
・深いボタンの位置で重心を下げて厚みを活かすのがポイントです。
・スタンダードなシングルブレストのジャケットは、上半身をスッキリと見せ、お腹を隠すのに役立ちます。引き締めカラーの濃色でバランスを取りましょう。

シャツ／Ｔシャツ

・ボタンダウンシャツやドレスシャツを選ぶ際、ウエストがくびれていないものを選びましょう。インした際に、お腹、腰回りのぜい肉が目立たないように注意しましょう。
・黒やネイビーなどの濃色の縦ストライプを選ぶと、視覚的に体型を細く見せられます。
・Ｔシャツは濃色、黒やネイビーでお腹周りが締まって見える色を選んでください。

パンツ

・スリムフィットやストレートフィットのドレスパンツや、お腹周りにゆとりがあるものがおすすめです。その際、ウエストバンドが伸縮性のあるものや、ベルトループがついているものが快適です。
・ダークカラーのパンツは体型が引き締まって見えます。

✕ NG!

・ダブルブレストのジャケットは、着ぶくれして見える可能性があるため避けてください。身体にフィットさせて着るポロシャツも、上半身のぜい肉がより強調されるので避けましょう。
・インナーに膨張色（白、ベージュ、ライトグレー、ライトブルーなど）を着ると、身体の大きさが強調されがちなので気をつけましょう。

三角形タイプ：コーディネート例

ビジカジ度

Business Casual

★★☆☆☆

ビジカジ度

Business Casual

★★★★☆

●三角形タイプ「ビジカジ度★★★★」のコーディネート

ネイビーの格子柄セットアップにタートルネック、足元にレザースニーカーをセレクトした「ビジカジ度★★★」のコーディネートです。セットアップスーツはきちんとした印象なので、インナーをシャツにするとビジカジ度は下がります。

上下セットで購入するスーツに対して、上下別々に購入できる同素材のジャケットとパンツを「セットアップ」といいます。

セットアップとはジャケットとパンツなどの上下の服が同色・同生地、統一デザインで作られていて、上下合わせて着られるようになっている服のことをいいます。

スーツとセットアップの違いは、スーツが上下同じサイズで作られているのに対し、セットアップは、ジャケットをMで買い、パンツをLで買うということも可能です。カジュアルなデザインが多く、素材もウール以外に、高機能素材、ポリエステル、ナイロン、コットン、リネンなど様々なものが使われています。ジャケットやパンツの色や柄のバリエーションも豊富です。

コーディネートは、格子柄のセットアップにダークネイビーの薄手のタートルネックをセレクトしました。ボタンは留めずに縦のラインを強調すると、細く見える錯視効果があります。

三角形タイプ：コーディネート例

インナーは薄手のタートルネックです。スーツ×タートルネックという組み合わせは海外では一般的なコーディネートですが、日本ではカジュアルな印象が強くなりますのでTPOをわきまえることが大切です。

足元はレザースリッポンをセレクトしました。スーツやセットアップには、見た目にスマートで、履くとコンフォートなビジネススニーカーがおすすめです。革靴メーカーの中でも常にイノベーションを続けて進化しているグローバルブランド「COLE HAAN」や「ecco」のビジネススニーカーは良質な履き心地に定評がありおすすめです。

バッグはナイロンとレザーのコンビのバッグで小物素材のイメージを統一しています。

●三角形タイプ「ビジカジ度★★」のコーディネート

ジャケットは濃紺のシングルブレスト、シャツはダンガリー素材のボタンダウンにダークブラウンのニットタイ、パンツはストレッチ素材にセンタープレスのテーパードパンツをセレクトしました。ジャケット＋シャツ＋ネクタイですが、シャツの素材がダンガリー、タイがニット素材なので「ビジカジ度★★」のコーディネートになります。

ダンガリーはデニムの一種ですが、タテ糸が白糸、ヨコ糸が色糸とデニムとは逆になり、ジーンズなどのデニムよりは薄手で平織りなのでシャツにも適しています。麻やコットンなどいろいろな素材と混紡されることがあり、生地の風合いも豊かで、スタイリングの幅も広がります。

ニットタイは、カジュアルな印象が強いため色やデザインに気をつけましょう。色はブラックやネイビー、グレーなどのダーク系で、無地のものがおすすめです。タイピンやポケットチーフを取り入れることで、品のあるフォーマルスタイルに仕上げることができますが、使用するシーンによってはNGです。オフィスの雰囲気や取引先の社風などを考慮してください。

ネクタイをし、ジャケットのボタンを外すことで、第2章の錯視でお伝えした通り、身体の中心に縦のラインができるので、細長く見せる効果があります。ネクタイをしてジャケットのボタンを外すときは必ずタイピンでネクタイを固定してください。

ベルト、靴、バッグをダークブラウンに統一しています。

ベルトは先端の角を切ったややフォーマル寄りのもの、バッグはレザーのブリーフケースを使用しています。

三角形タイプ：セレクトアイテム

ストレッチ
テーパードパンツ

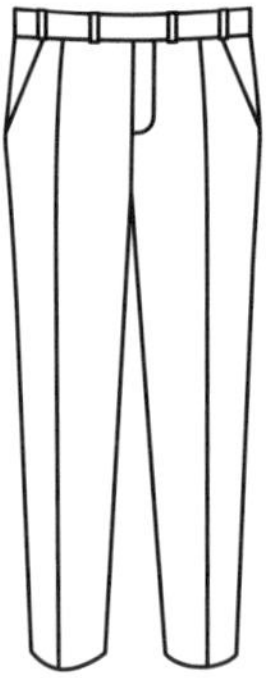

タートルネック
プルオーバー

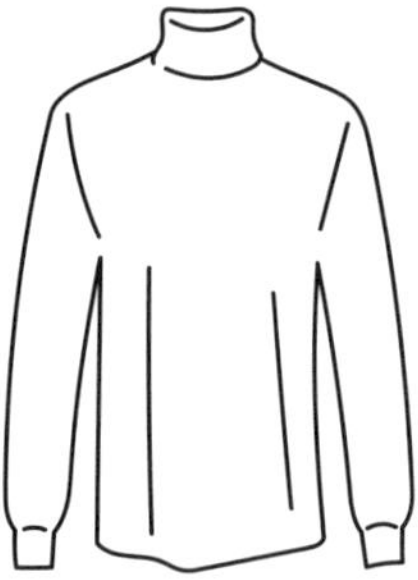

パッチポケット
ブレザー

テーパード
パンツ

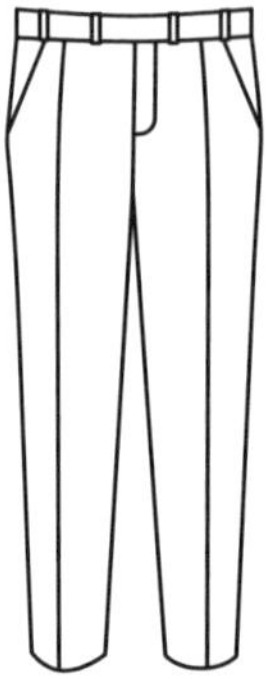

ボタンダウン
シャツ

セットアップ

**三つボタン
シングルコート**

レザーベルト

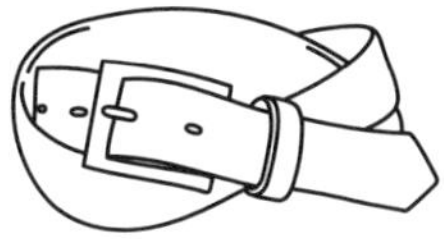

**三つボタン
シングルコート**

ニットタイ／レザーベルト

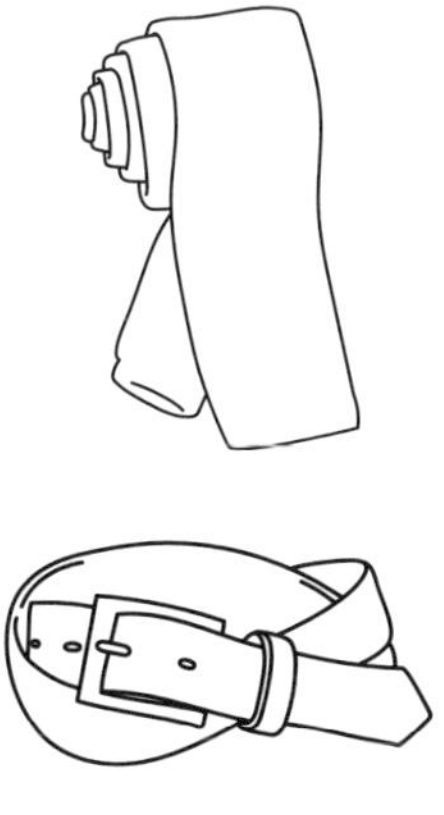

肩幅が広く
細いウエストを活かす

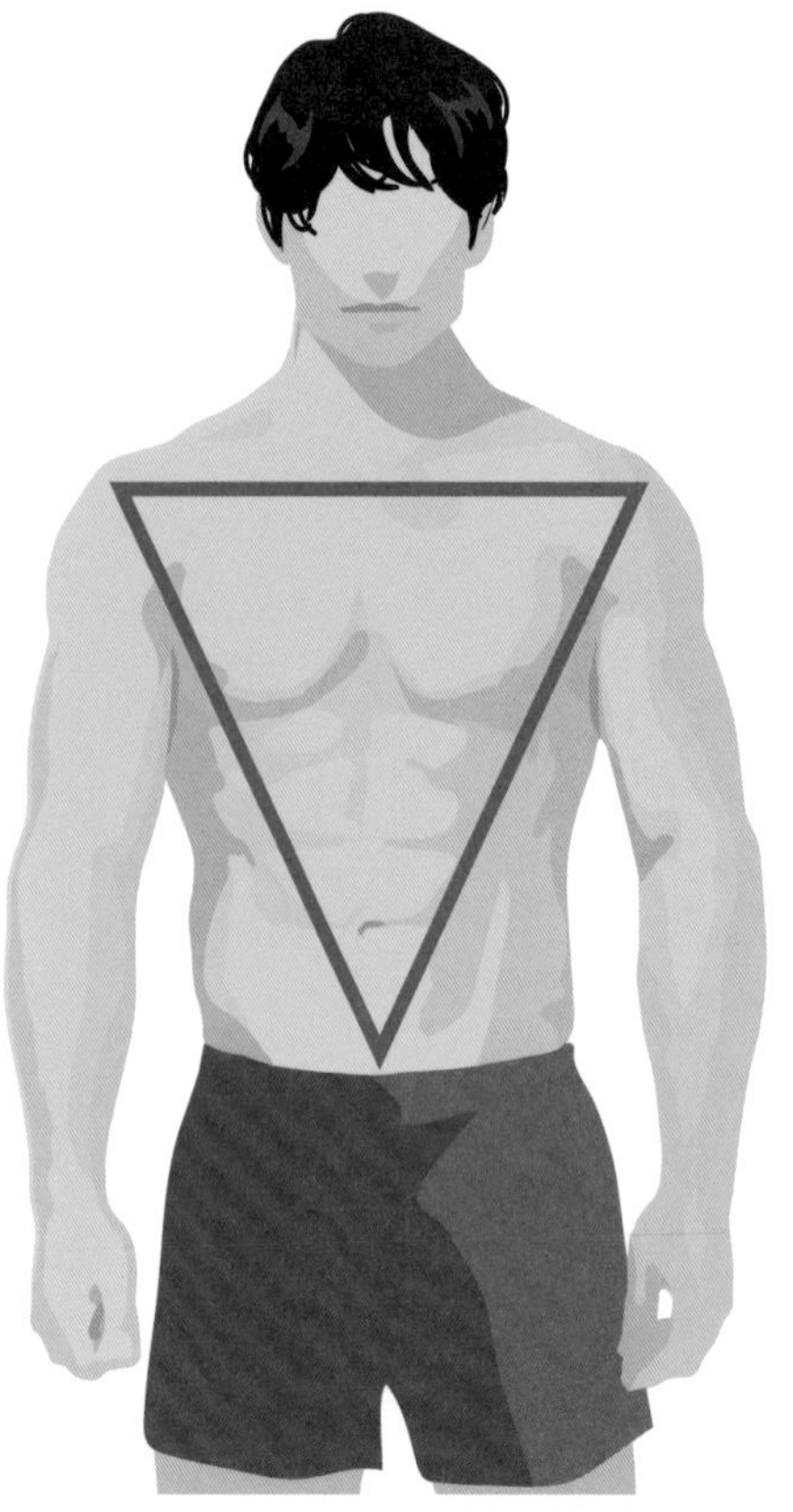

- 上半身は下半身より幅が広い
- 肩、腕、胸の筋肉が発達している
- 肩幅が広く、ウエストが細い

服選びの基礎知識

肩幅が広く、ウエストが細く締まっている体型です。特に肩周り、胸回りの筋肉が大きい場合は、市販の服でフィットさせるのが難しいので、オーダースーツをおすすめします。過度にタイトなシャツやトップス、スキニータイプのパンツなど、筋肉を強調しすぎる服は避けた方がよいでしょう。

ジャケット／コート

- 肩幅が広いため、ジャケットの肩幅を合わせましょう。ジャケットの襟のラペル幅は9〜10センチのやや広め、シングルブレストかダブルブレストを選びましょう。
- ウエストを調整できるジャケットを選びましょう。テーラーリングが必要な場合は検討しましょう。
- 縦のストライプや細かい柄のシャツは、視覚的に体型を細く見せる効果があります。

シャツ／Tシャツ

- スリムフィットまたはタイトラインで身体にピタピタにならないサイズを選びましょう。
- VネックのシャツやTシャツは、バランスを取るのに役立ちます。シャツの裾をパンツにインして着ることで、ウエストラインを引き立たせます。

パンツ

- ツータックのパンツは、ウエスト周りで余裕を持ちながらも、ヒップや太ももに適度なゆとりがあり、バランスの取れたシルエットが作れます。テーパードのパンツもよいでしょう。

✕ NG!

- 肩パッドの入ったジャケットやブレザーは、肩幅が余計に強調されるため避けましょう。
- 過度にタイトなシャツやトップスは、着心地を損ない、動きにくいため避けましょう。
- 派手な柄やデザインの服装は、体型を過剰に強調するので避けましょう。
- スキニータイプのパンツは脚やふくらはぎの筋肉が強調されすぎ、女性に好まれない傾向があります。

逆三角形タイプ：コーディネート例

ビジカジ度
Business Casual
★★☆☆☆

ビジカジ度
Business Casual
★★★☆☆

●逆三角形タイプ「ビジカジ度★★★」のコーディネート

ワイドラペルの2ボタンジャケット、インナーにヘンリーネックカットソー、パンツはウエスト紐つきをセレクトしました。ジャケットを脱いだらそのままジムで筋トレも可能な「ビジカジ度★★★」のコーディネートです。

ジャケットは胸板の広さとのバランスが良いワイドラペルの二つボタンをセレクトしました。ジャケットのカラー（上襟）に続く下襟部分を「ラペル」といい、7〜8センチが一般的な幅ですが、9センチ以上の幅があるデザインをワイドラペルと呼びます。

肩幅があり、胸板の厚い人におすすめです。

ジャケットのインナーのヘンリーネックは、首元は丸襟の前中央の胸あたりまでの前立てがあり、ボタンなどで留めるようになった長袖をセレクトしました。インナーにTシャツを使用するときは乳首などが透けない肉厚の素材で、首元が空きすぎないデザインを選んでください。また近年は、ビジネス・カジュアルに対応したTシャツも増えています。襟のデザインも「クルーネック」「Vネック」「モックネック」などがあり、首元がスッキリした印象になり、クールビズではTシャツを着ることも許容されるようになってきました。

ただし、会社の規定である程度カジュアルな服装が許可されているのであれば問題ありませんが、重要な会議や商談などフォーマル度が重視される場ではＴシャツは避けた方がよいでしょう。

パンツはストレッチ性のある素材を選び、ウエストを紐で縛るタイプをセレクトしました。ジャケットを脱いだらそのままジムで筋トレも可能なスタイリングです。

色は、パンツがライトグレー、カットソーは白を選んでいます。スポーティーな印象のコーディネートのときは明るめの色を選び、下半身との大きさのバランスを整えましょう。バッグが革素材では堅い印象になるので、ナイロンとレザーをミックスしたカジュアルなデザインのリュックがおすすめです。

●逆三角形タイプ「ビジカジ度★★」のコーディネート

ストレッチの利いた肉厚ニット素材のダブルのピークドラペルのジャケット、白のカッタウェイシャツにグレーのストレートウールパンツをセレクトしました。基本に近い、ネクタイを外した「ビジカジ度★★」のコーディネートです。

ダブルブレストジャケットは堅い印象になりがちですが、ストレッチ素材の編み目が詰まったニット素材は肩周りも動かしやすくカジュアルな印象になります。イタリアのLARDINIやTAGLIATOREのニットジャケットは機能的で美しく、ビジネス・カジュアルを格上げする銘品が多くおすすめです。

シャツは、襟が１８０度以上大きく開いた「カッタウェイシャツ」です。首元をスッキリと見せられるので、カジュアル寄りなノーネクタイのビジネスシーンでも襟元の崩れが少なく、上品です。

パンツはストレートなシルエットのウールパンツです。センタープレスが入っていて、色はチャコールグレー。長さはソックスが見えない「ワンクッション」にしています。

ソックスは靴の色かパンツの色と同色にします。コーディネートはパンツに合わせてチャコールグレーをセレクトしています。

靴は甲部分に房飾り（タッセル）がついた黒のレザータッセルローファーをセレクトしました。靴紐のないスリッポンタイプは、カジュアルな印象になりがちですが、アメリカでは弁護士の靴としても知られ、ビジネスの場においても履くことが可能です。いくつかあるローファーの種類の中で最もドレッシーな革靴とされています。軽快かつエレガントな印象で、あらゆるシーンで頼りになります。

バッグは同じく上質素材の革のトートバッグです。

コートは胸板の広さとバランスを取るために襟幅の広いワイドカラーで、引き締め効果のあるチャコールグレーやダークネイビー、ブラックがおすすめです。

逆三角形タイプ：セレクトアイテム

ヘンリーネック
布地厚カットソー

ワイドラペル
二つボタン

カッタウェイ
シャツ

ピークドラペル
ダブルブレスト
ストレッチジャケット

ワイドカラー
ショートコート

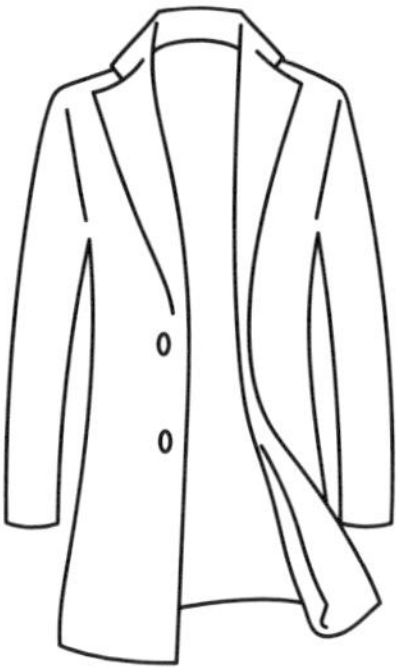

ストレッチ
テーパードパンツ

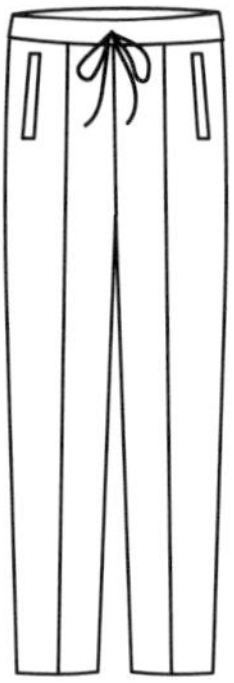

ワイドカラー
ショートコート

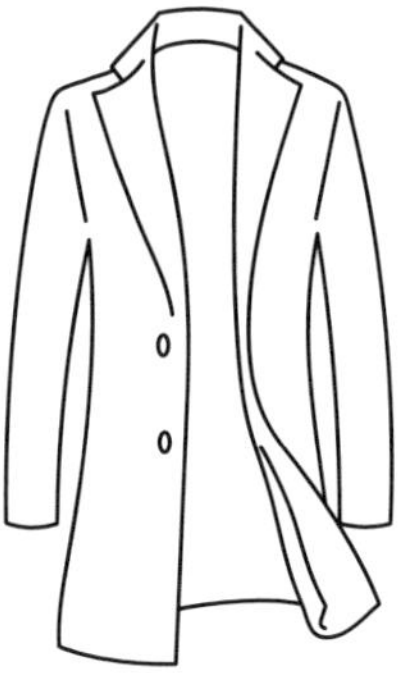

ストレート
ウールパンツ

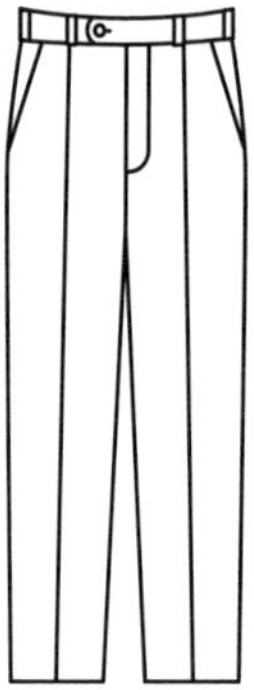

均整が取れた
平均的体型を活かす

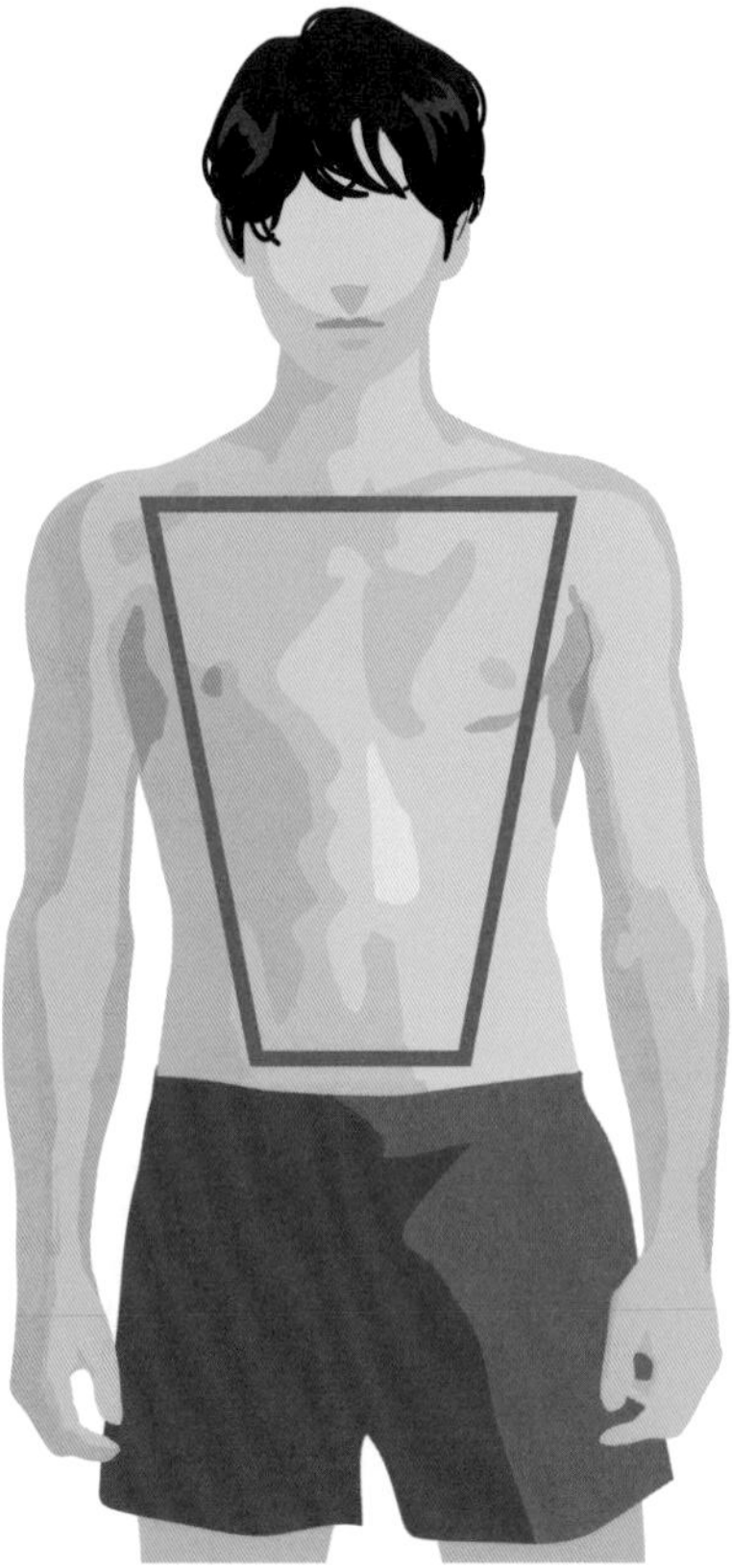

●肩幅が広めで、胸も比較的発達している
●ウエスト、ヒップはスッキリしている
●均整のとれた健康的で望ましい体型

服選びの基礎知識

基本的には何を着てもよく似合うので、様々なスタイルのファッションを楽しめます。ジャケットは、身体のラインよりもややゆとりのある「ミディアムフィット」がおすすめです。パンツは、テーパードシルエットのものを選びましょう。ウエスト周りはジャストフィットしていることが大切です。

[redacted]

シャツ／Tシャツ

・おすすめはノーネクタイでも襟元が美しい、ワイドカラーのドレスシャツやクレリックシャツです。白や淡い色、落ち着いたストライプなどは爽やかな印象になります。シャツをパンツにインすることで、スマートな印象を与えます。
・シャツの袖が正しい長さであることはもちろん、クリーニングやアイロンなどがしっかりされているといった清潔感も大切です。

パンツ

・ストレートレッグや、ややタイトめのドレスパンツが適しています。 極端にワイドなものやスキニーは避けましょう。カラーは、ネイビー、カーキ、チャコールグレーなどを選び、多彩なトップスと組み合わせましょう。
・ウエストはジャストサイズで、アクセントとして濃色のベルトを着用するとより素敵な印象になります。

✕ NG!

・最も避けたいのはダボついたもの。せっかくの理想的な身体のシェイプがわからなくなってしまうためです。身体のラインがぼやけてしまうような服は避けましょう。
・身体のラインを細く見せようとしてタイトすぎるパンツを選ぶと、無理な逆三角形体型に見えるため、着用しないようにしましょう。

台形タイプ：コーディネート例

ビジカジ度
Business Casual

★★☆☆☆

ビジカジ度
Business Casual

★★★★☆

●台形タイプ「ビジカジ度★★★★」のコーディネート

ピークドラペルのニットジャケットにスタンドカラーのシャツをセレクトしました。ニットジャケットはダブルもシングルもたくさん出ていますが、ゴールド色のボタンを使用してカジュアルな印象になるので、「ビジカジ度★★★★」のコーディネートです。

ビジネスで着用するジャケットの襟型には大きく分けて二つあり、襟にV字の切り込みが入った最も一般的で定番の襟型のノッチドラペルと、襟（ラペル）の下側のパーツが上に向かって尖っているピークドラペルの二つです。ピークドラペルはもともと、タキシードなどのフォーマルウェアに採用されていたデザインで、現在ではビジネススーツやジャケットにも使われるようになりました。優雅さや華やかさを演出できるのが魅力で、さりげないおしゃれを楽しむことができます。

シャツはスタンドカラーをセレクトしました。襟の折り返しがなく、首に沿って襟が立っているデザインのシャツです。さらに襟を低くしたバンドカラーである「ノーカラーシャツ」の襟に帯状の布をつけた形状をしていて、スタンドカラーよりもカジュアルになります。色は爽やかな印象の白をセレクトしましたが、ダークブルーやブラックなどの濃色は洗練されたモダンな印象になります。フォーマルな場では襟なしはNGとされているのでTPOに合わせて着用してください。

パンツはストレッチ性のあるテーパードパンツで、裾はダブル仕上げです。ビジネスシーンでは裾に折り返しのない仕上げのシングルが一般的ですが、折り返しのあるダブルはカジュアルで軽快な印象になります。ソックスはパンツの色にそろえ、チャコールグレーにしています。

足元は紐つきのブラウンの革スニーカー、バッグはナイロンと革のブラウンコンビのリュックをセレクトしました。シューズとバッグは同色にするとスッキリまとまります。

ちなみに、ジャケットはシングルとダブルでカジュアル度が変わるということはありません。これはスーツでも一緒です。

コートは共通で、スタンドカラーのショートコートにしました。シングルボタンでスッキリとしたシャープな印象を与えられます。

●台形タイプ「ビジカジ度★★」のコーディネート

2つボタンのジャケットにイタリアンカラーのシャツ、センタープレスの細身のテーパードパンツをセレクトしました。ジャケット＋シャツ＋パンツ＋シューズ、ベルト、バッグの基本のビジネス・カジュアルのアイテムに近い「ビジカジ度★★」のコーディネートです。無地のネクタイを合わせるとフォーマル度が高くなります。

2つボタンのジャケットは三つボタンスーツよりもVゾーンが広いので、ウエストラインにシェイプが出しやすくなり、全体的にウエストが絞れた細身のシルエットになります。ボタンは上の一つだけを留めて着用します。定番のスタイルなので着る場所を選ばず、ビジネスシーン、フォーマルシーンなどで幅広く活用できます。

イタリアンカラーは襟元の立ち上がりが深く、シャープでスッキリした印象になります。襟と前立ての裏部分が一枚の生地で繋がっているデザインの襟で、きれいなVゾーンができ、首が長めの人におすすめのデザインです。

パンツはライトグレーのテーパードパンツです。センタープレスは清潔感があってスッキリ見せるためのポイントです。

シャツとパンツの色は淡い色ですが、サックスとライトグレーの組み合わせは爽やかで清潔感があり、ビジネスシーンに向く配色です。ジャケットを濃紺にすることで、スタイリッシュな印象を出しています。

ベルト、靴、バッグは基本的に同色でそろえるのがスタイリングの基本です。バッグはナイロンのトートバッグをセレクトしています。

ストレッチ
テーパードパンツ

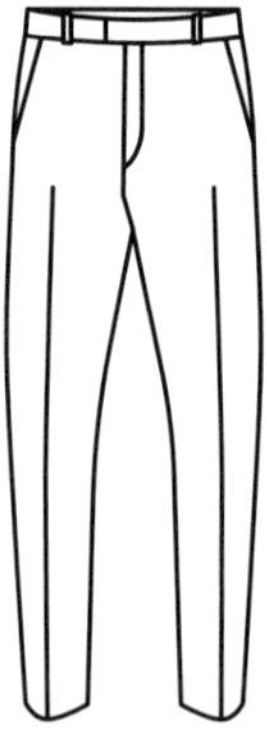

スタンドカラーシャツ

ダブルブレスト
ニットジャケット

ウールテーパードパンツ
ストレート
シングルプレス

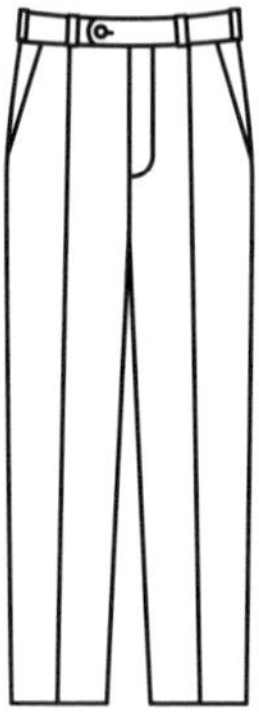

イタリアン
ボタンダウン

ノッチドラペル
二つボタン

スタンドカラー
シングルボタン
ショートコート

レザーベルト

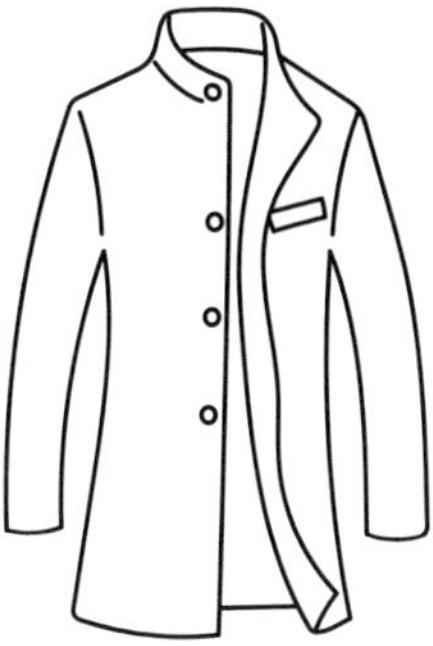

スタンドカラー
シングルボタン
ショートコート

レザーベルト

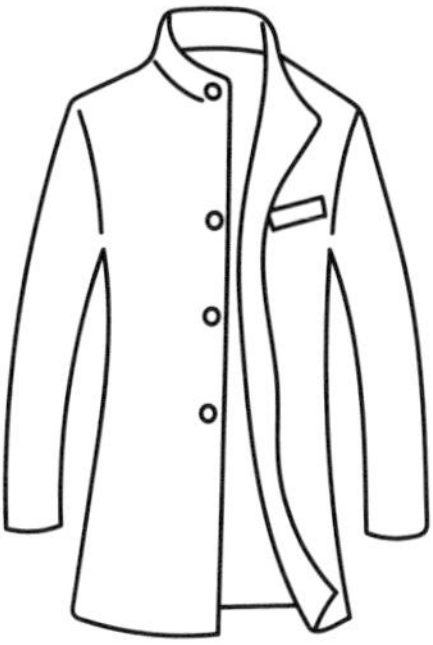

体型を最適にカバーする
デザインを選ぶ

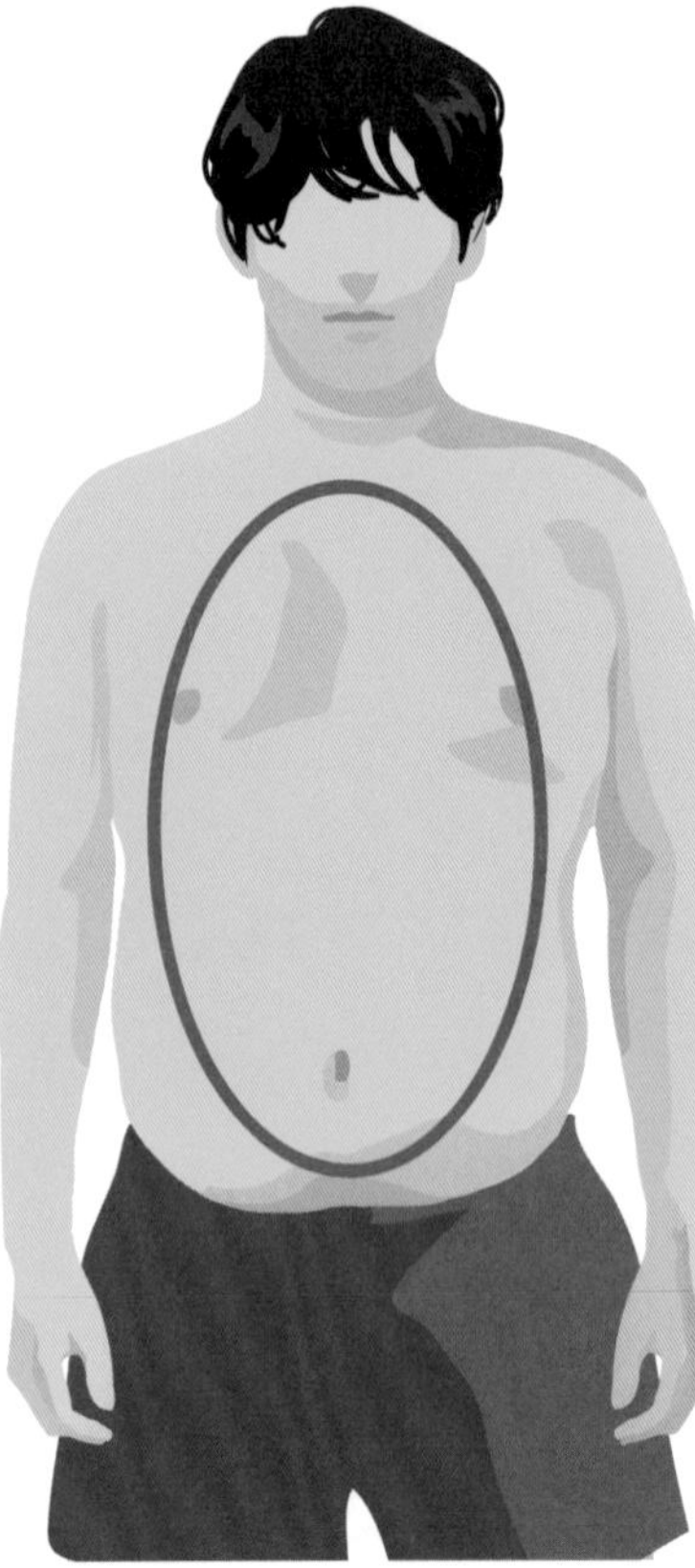

●胴体は肩や腰よりも広い
●お腹は丸く出ている
●顔はふっくらし、首は短い
●上半身に比べて足は細い

服選びの基礎知識

体型を最適にカバーし、錯視効果を上手に使い、体型が引き締まって見える、ダークカラーを中心にしたコーディネートをおすすめします。縦ストライプが入ったシャツや、身体の中心に縦ラインを作るなど、錯視を利用したやせ見え効果を狙います。

ジャケット／コート

・ラペル幅は9～10センチのやや広め、シングルブレストのダークカラーで、肩や胸パッドが薄い、もしくはパッドや裏地が薄いものがよりスリムに見えます。
・適度な長さのジャケットを選んで、ヒップラインをカバーしつつ、脚を長く見せましょう。

シャツ／Tシャツ

・ボタンダウンシャツやドレスシャツを選びましょう。シャツをパンツにインして着用することにより、ウエストラインを整え、スッキリと見せます。
・適度なフィット感のシャツを選び、過度に緩いものは避けましょう。

ニット&カットソー

・ニットはVネックの濃色（ネイビー、チャコール）、薄手素材のVネックカーディガンがおすすめです。

パンツ

・ストレートフィットやリラックスフィットのドレスパンツやチノパンツが適しています。
・スリムフィットを避け、ゆとりのあるフィット感を選びましょう。伸縮性のあるウエストバンドやベルトループがついているものが快適です。

✕ NG!

・タートルネックや大きな柄のセーターはお腹に注目を集めるので避けましょう。
・ベルトはお腹がはみ出してしまう可能性があります。サスペンダーを取り入れてみましょう。

楕円形タイプ：コーディネート例

ビジカジ度
Business Casual
★★☆☆☆

ビジカジ度
Business Casual
★★★★★

●楕円形タイプ「ビジカジ度★★★★★」のコーディネート

ノーカラーでストレッチ性の高い高機能素材のセットアップスーツに、バンドカラーシャツをセレクトしました。正式な場で襟なしはNGになりますが、ビジネスシーンになじむブラックのセットアップスーツにネイビーのシャツを合わせた「ビジカジ度★★★★★」のコーディネートです。

ノーカラーのジャケットは、最初は抵抗があるかもしれませんが、胸元を深く開けたジャケットスタイルとして人気です。ウエストの絞りがないデザインも多く、ワンボタンで楽に着用できます。シワになりにくく、ウォッシャブルな素材で作られた高機能素材のセットアップスーツは洗濯機で洗える商品も多く、ワークウェアとしてスポーツメーカーからの参入もあります。襟なしのジャケットはビジネスの正式な場では避けてください。

バンドカラーとは襟に沿って帯状になった襟がついたデザインで、首元がスッキリとし、清潔な印象を与えてくれます。首の短い人におすすめのデザインです。

パンツは、ウエストが紐で調整でき、フィット感を保ちながら、お腹の圧迫感もなく着用できます。ややテーパードのかかったもので、長さはノークッションかハーフクッションがよいでしょう。

靴は黒のレザーコート、バッグも黒で統一します。

楕円形タイプ：コーディネート例

コートは、ビジカジ度にかかわらず一般的なノッチドラペルのシングルコートです。色は引き締め効果の高いダークネイビーやブラックがおすすめです。

●楕円形タイプ「ビジカジ度★★」のコーディネート

ジャケットはシングルブレストのサックジャケット、インナーにVネックのニットベストをセレクトしました。シャツはストライプでノーネクタイの「ビジカジ度★★」のコーディネートです。

ジャケットは、ゆったりとした雰囲気を特徴とし、胴部分に絞り（ダーツ）のないずん胴タイプのサックジャケットです。着心地も楽で、太った方や、華奢《きゃしゃ》な方などは、シルエットにより体型を隠せるメリットがあります。もともとはトラディショナルのサックスーツが原型で、カジュアルな印象です。胴回りに絞りがなく、ゆったりと着られるので、楕円形タイプの体型の人にぴったりです。下襟は9～10センチのワイドラペル、色は少しでもスリムに見せるため、ダークカラーにしています。

シャツは、太めの黒ストライプのワイドカラーです。シャツの上には、Vネックのニットベストを合わせます。色はダークグレーです。

パンツはリラックスフィットで股上の深いグレーのチノパンツです。ウエストベルトがきつい場合はサスペンダーをおすすめします。サスペンダーでパンツを吊るということは、ベルトを締めたときの位置よりも上がります。股上が浅いと、正しい位置で吊ることができませんので十分注意してください。また、ウエストサイズにもゆとりが必要です。座ったときにお腹が圧迫されてしまうので通常より1〜2センチほど大きめのものを選んでください。

スリーピースを着用する場合も正式にはサスペンダーを使用します。ベストを着る場合、ベルトを隠すことを目的としていて、ヨーロッパではサスペンダーで吊るのがスタンダードです。スリーピーススーツにベルトを使うのは日本特有のスタイルです。

シューズは黒のストレートチップです。紳士靴の中で最もドレッシー（フォーマル）とされるデザインで、普段のビジネスシーンから大事な商談、フォーマルシーンまで幅広く使えるデザインです。

バッグはビジネスリュックをセレクトしました。世界的にビジネス・カジュアルが広まる中、ビジネスバッグブランドもリュック型のデザインを多く出しています。TUMIの「ブラッドナーバックパック」、Samsoniteの「ツーウェイバッグ」、エースの「ガジェタブルＤＰＬリュック」はビジネスバッグでありながら品格も損なわない秀逸なデザインです。

楕円形タイプ：セレクトアイテム

バンドカラー
シャツ（濃色）

ストレッチ
ノーカラージャケット

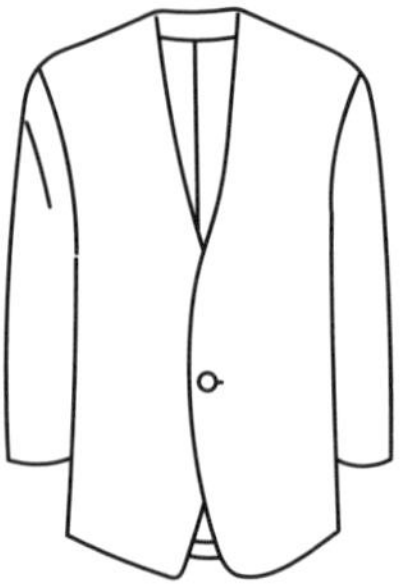

Vネックベスト

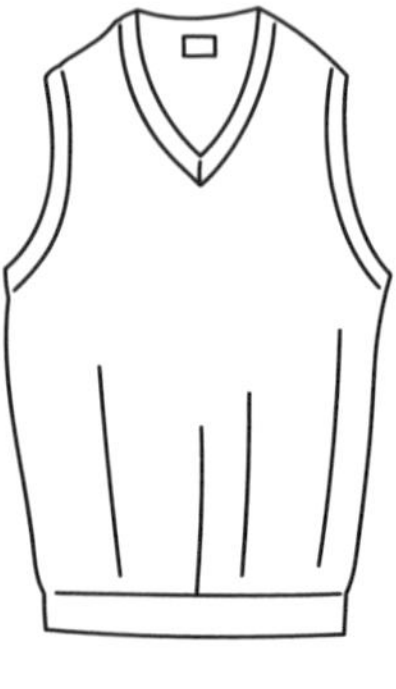

ワイドカラーシャツ

ワイドラペル
サックジャケット

ノッチドラペル
シングルボタン
コート

コンフォータブル
パンツ

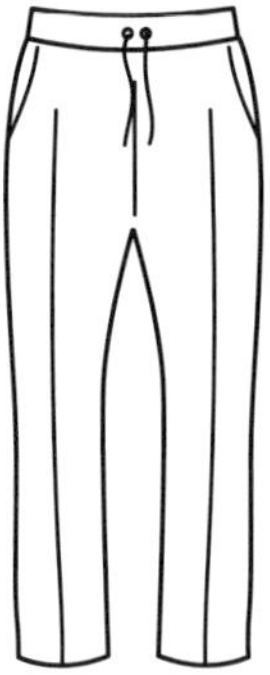

ノッチドラペル
シングルボタン
コート

サスペンダー

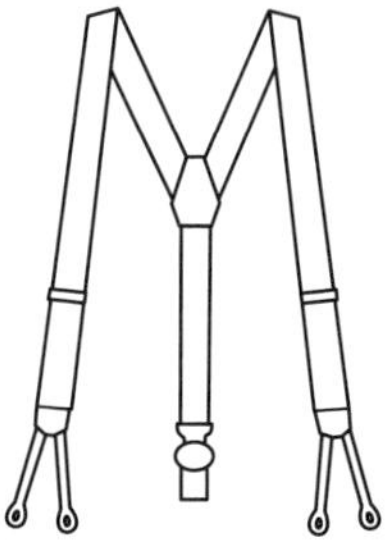

チノパンツ

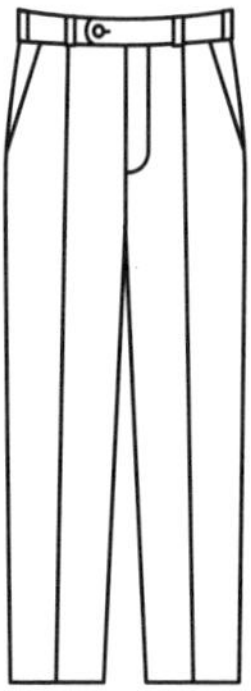

顔の形に合う「髪型」の決め方

ファッションとは服だけでなく、装いに関係する装身具、美容（理容、髪型、化粧）、香水なども含まれます。ビジネスの場では、ヘアースタイルや、肌、爪などが清潔に手入れされていることもビジネスマナーとして重要視されるようになりました。

近年はテレビＣＭでもメンズ化粧品や美容液などが次々と登場しているように、眉を整え、肌のシミやくすみを薄く見せるための男性用化粧品も発売され、メンズ美容が広まっています。

服がカジュアルなときほど、顔の印象や髪型だけでなく、肌や爪などのグルーミングを含めた全身の清潔感が重要です。

清潔感があり、ビジネス・カジュアルにも似合うヘアースタイルをご紹介します。顔の輪郭を「ベース型」「面長」「逆三角顔」「丸顔」の四つに分類しました。

まず、自分の輪郭を知りましょう。

前髪を上げた状態で正面からスマホで顔のアップを撮影し、［図3-3］のイラストを参考にしながら、自分の輪郭に合うヘアースタイルを確認しましょう。

[図 3-3] 顔の形に合うビジカジヘアー

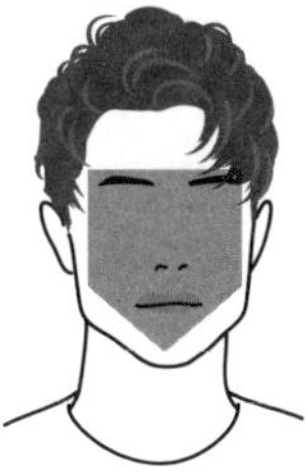

❶ベース型

・エラが張っている
・横の比率が縦と同等

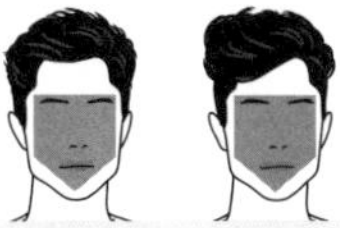

顔を小さく見せるアレンジをする
エラが張って顔が大きく見えないよう、全体的にショートにし、トップにボリュームを持たせつつ、サイドをタイトにするのがよいでしょう。
NG
サイドのボリュームを出すと、顔の大きさが強調されてしまいます。

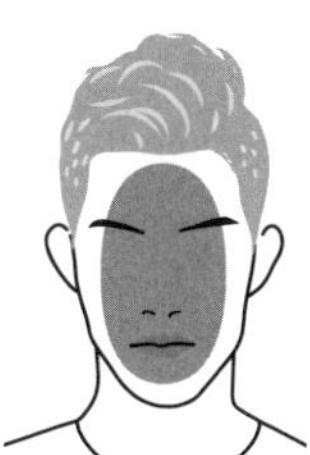

❷面長

・横幅に比べて、輪郭の縦の比率が長い
・頬に丸みがない

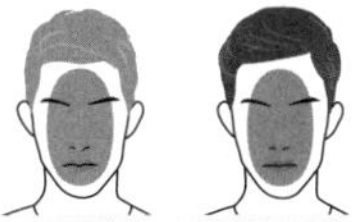

髪の流れで、視線を横へ誘導する
面長の人は顔が長く見えるので、短めのショートにし、櫛目を入れて髪の流れを見せることで、爽やかな髪型になります。
NG
トップのボリュームの出しすぎは顔の長さを強調してしまうため、シルエットが不自然な印象になってしまいます。

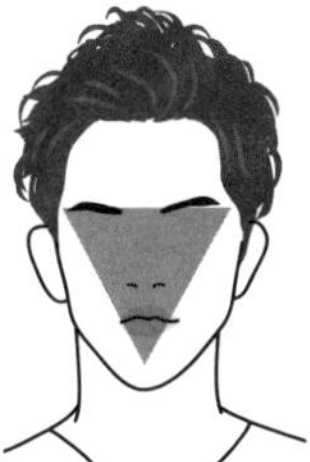

❸逆三角顔

・頬から顎までの丸みがない
・頬がこけた印象

縦の印象を髪の毛で作る
顎の尖りや、頬がこけた印象をカバーするには、トップにボリュームを出すことです。これによって、頭の大きさが目立たなくなります。
NG
サイドにボリュームを出すと、シャープな顎のラインが強調されすぎるため不自然な印象になってしまいます。

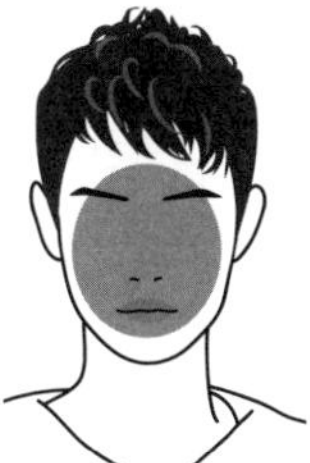

❹丸顔

・輪郭の縦と横の比がほぼ同等
・頬に丸みがある

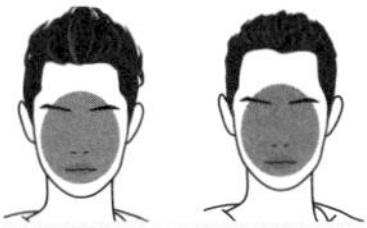

縦の印象を髪の毛で作る
トップにボリュームを出して面長のシルエットに近づけるのがよいでしょう。サイドはタイトなイメージにまとめます。
NG
丸顔にタブーなシルエットは、サイドにボリュームを出すことです。頬のふくらみを強調してしまいます。

「眼鏡」の選び方

ビジネスの場では、眼鏡選びも重要です。フレームの選び方で印象が大きく変わるので、最大限に良く見えるデザインを選びましょう。

顔の形や長さによって、フレームとの相性はそれぞれ変わってきます。

眼鏡の形は、ビジネスの場にもなじむ、オーソドックスなデザインのものをピックアップしました。ウェリントン、ボストン、スクエア、オーバル、ハーフリム、ラウンドの6タイプです。適性を◎○△の3段階で示しましたので参考にしてください。

ビジネスで使う眼鏡を選ぶ上で、大切なことが3点あります。

・自分の顔とのバランスが取れたものを選ぶ
・オーソドックスな形のデザインを選び、個性的なものを避ける
・ビジネスの「場」によってふさわしい眼鏡を使い分ける

メタルフレームとセルフレームでは、同じ形でも相手に与える印象が違ってきます。また、同じ形でもフレームの太さが違うもの、大きさが違うものも多くあります。服と同じように、できれば複数の眼鏡を持ち、相手にどのような印象を与えたいかを戦略的に考えて選びましょう。

フレームを決める前に、眼科や専門店でしっかり検眼をすることも大切です。

[図 3-4] 眼鏡の特徴と選び方

1. 自分に似合うデザインを重視して選ぶ

顔とのバランスが取れた眼鏡をかけることが大切です。似合うフレームは、輪郭や肌の色、眉の形などによってそれぞれ異なります。

2. オーソドックスなデザインを選ぶ

オーソドックスで主張の少ない眼鏡を選ぶこともポイント。色はネイビーやブラウンなどがおすすめです。個性的なフレームは、周りと差が出ておしゃれに見えるアイテムですが、ビジネスの場ではふさわしくありません。

3. シーン別に使い分けられるように選ぶ

シーンに合わせて眼鏡をかけ替えるのもよいでしょう。メタルフレーム系の素材はシャープで落ち着いた印象を与え、セルフレーム系は温かみのある柔らかい印象になります。

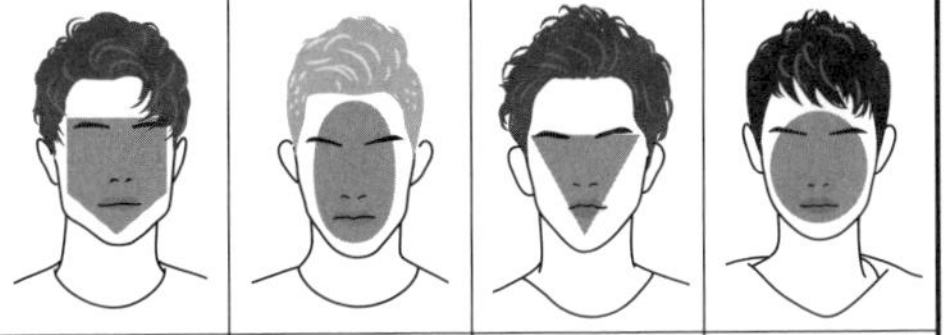

顔の形とフレームの相性	ベース型	面長	逆三角顔	丸顔
ウェリントン（印象強め ポップさ 陽気さ）	○	◎	○	○
ボストン	◎	○	◎	△
スクエア	△	○	△	◎
オーバル	◎	△	◎	○
ハーフリム	○	△	○	◎
ラウンド（印象弱め 知的さ 控えめ感）	△	○	○	△

第4章

【新常識4】

「色×心理学」で自分を表現する

色をつかさどる三大条件（光・物体・人の目）

あなたもご存じだと思いますが、色が見えるのは「光源」があるからです。光のない暗闇の中では色を認識することができません。人間の目は、異なる波長の光に対して敏感な錐体《すいたい》を持っています。一般的に、三つの異なる種類の錐体が、青、緑、赤の波長範囲に対応しています。これらの錐体が受け取る信号が脳に送られ、その結果、私たちは色を見ることができます。

ファッションにおいて色と光源はとても重要です。色は、光のない真っ暗闇では認識することができません。服の色は、光が当たることによって、初めて見えるのです。

あなたがショップで服を選ぶとき、店内の照明を意識したことはあるでしょうか？

じつは、自然光がたっぷり入る路面店と、ビルの中にあるショップでは、同じ商品の同じ色でも異なる色に見えることが多いのです。これは光源の違いが大きな原因です。

例えば、スーパーに行って鮮魚売り場でマグロの刺身を見ると、とてもおいしそうに見えますね。でも、家に帰って見ると、「あれっ！　こんな色だったんだ」と驚いたことはありませんか？　じつはスーパーの刺身売り場では赤みを引き立てておいしそうに見える周波数の光源を使っているからなのです。

同じようなことを、ファッションの売り場でも行っています。そのため、自然光で見たときや、白色の強い蛍光灯の下で見たときは、それぞれショップの店内とは色の見え方が変わるのです。

特に気をつけたいのは、ブルーなど寒色系の服の場合です。店内での光源は赤みの周波数が高い電球が使われていることが多く、生地のブルーにかすかにオレンジ色がのったような色に見えてしまうのです。

ですから、私がスタイリングの仕事でお客様をご案内するときは、お店の人に断って、必ず自然光の下でお客様と一緒に服の色を確認しています。特に、ミッドナイトネイビーのスーツやブルー系のネクタイは注意が必要です。

配色と人に与える印象

世の中には様々な色が存在しますが、それが単色で存在していることはほとんどありません。あなたの目の前にもいろいろな色や配色されたものが溢れていると思います。

空を見上げると薄い青から濃い青、白い雲や太陽の色が組み合わさり「空」を表現しています。

看板であれば濃い地色に白文字で目立たせるなど、私たちの生活の中に存在するものは、基本的には複数の色を組み合わせています。このように色を組み合わせて配置・構成することを「配色」といいます。ファッションでも、配色（カラーコーディネート）はとても重要です。「色彩心理学」によって、色そのものが持つイメージを利用して人に与える印象をコントロールするという側面を持っているからです。

色彩心理学では、「色」もそれぞれ特有の言葉やイメージを持っていて、その色から連想されるイメージは世界共通とされています。例えば、「戦争や闘争」のシーンには「赤」が、「平和ややすらぎ」のシーンには「緑」が使われることが多いですよね。

色彩心理学の基本となる言葉やイメージが、左の［図4-1］です。

白は「明るい・清潔」、グレーは「控えめ・シック」とあるように、単色ごとにわかりやすい説明が書かれています。これをコーディネートする場合、着る服にグレー、サック

［図4-1］アクセントカラーとしての言葉やイメージ

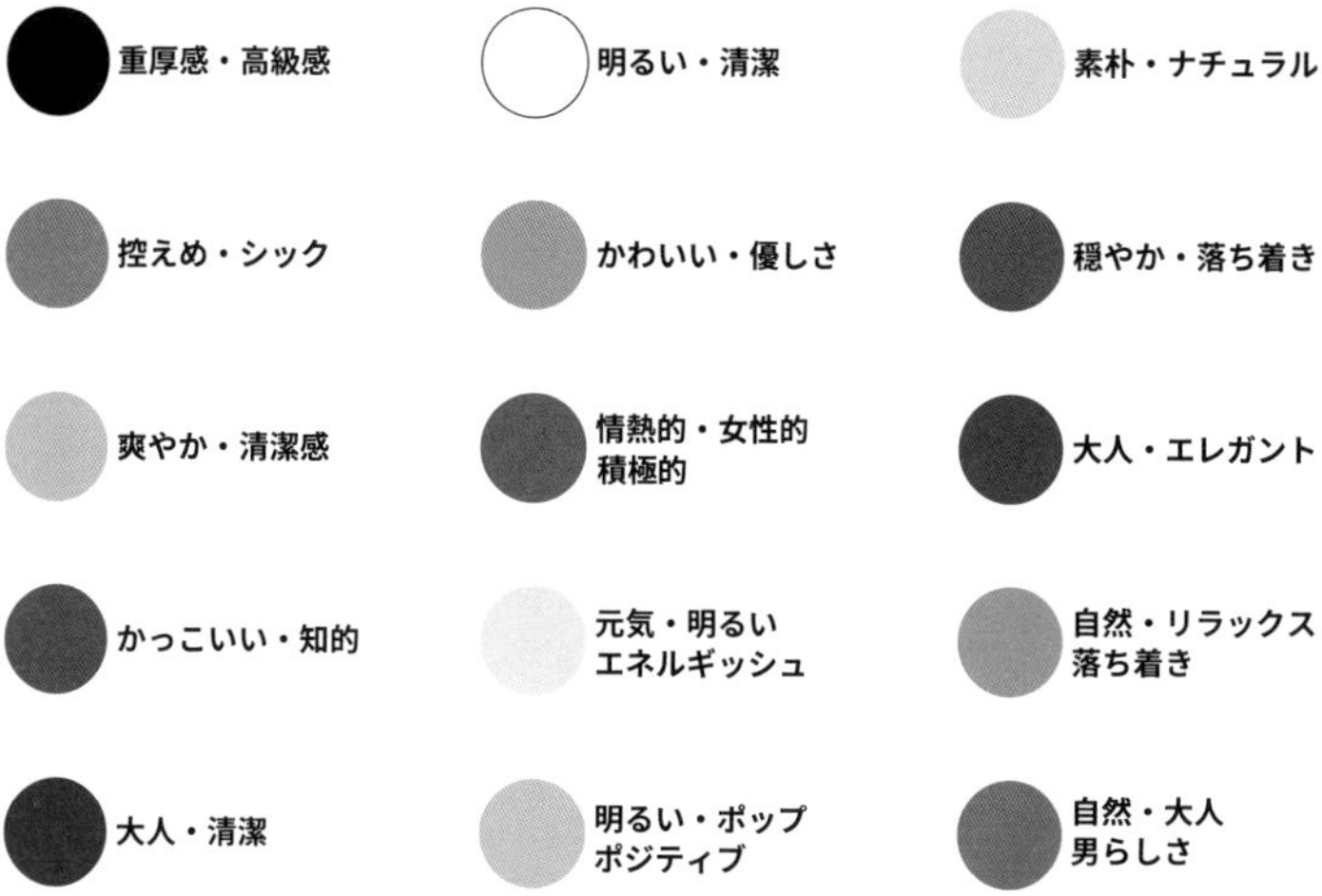

● 重厚感・高級感	○ 明るい・清潔	● 素朴・ナチュラル
● 控えめ・シック	● かわいい・優しさ	● 穏やか・落ち着き
● 爽やか・清潔感	● 情熱的・女性的 積極的	● 大人・エレガント
● かっこいい・知的	● 元気・明るい エネルギッシュ	● 自然・リラックス 落ち着き
● 大人・清潔	● 明るい・ポップ ポジティブ	● 自然・大人 男らしさ

ス、ブルーの3色を選べば、「控えめ・シック＋爽やか・清潔感＋かっこいい・知的」というメッセージとイメージになり、「クールで爽やかな人」という印象を与えられます。

色彩心理学を使い、3色の配色パターンでイメージを作った図をご紹介しましょう。［図4-2］は、株式会社日本カラーデザイン研究所が色とイメージの世界を解析するために開発した独自のシステムで、それぞれの色が持っている印象と特性がミックスされた配色スケールです。

例えば、「ダンディな（ブラウン・ダークオリーブ・ネイビー）」や「モダンな（ライトグレー・ダークネイビー・ピーコックグリーン（青緑））」となっています。あなたが望むイメージの言葉を持つ配色を選び、コー

[図 4-2] 色彩心理の基本となる言葉とイメージ

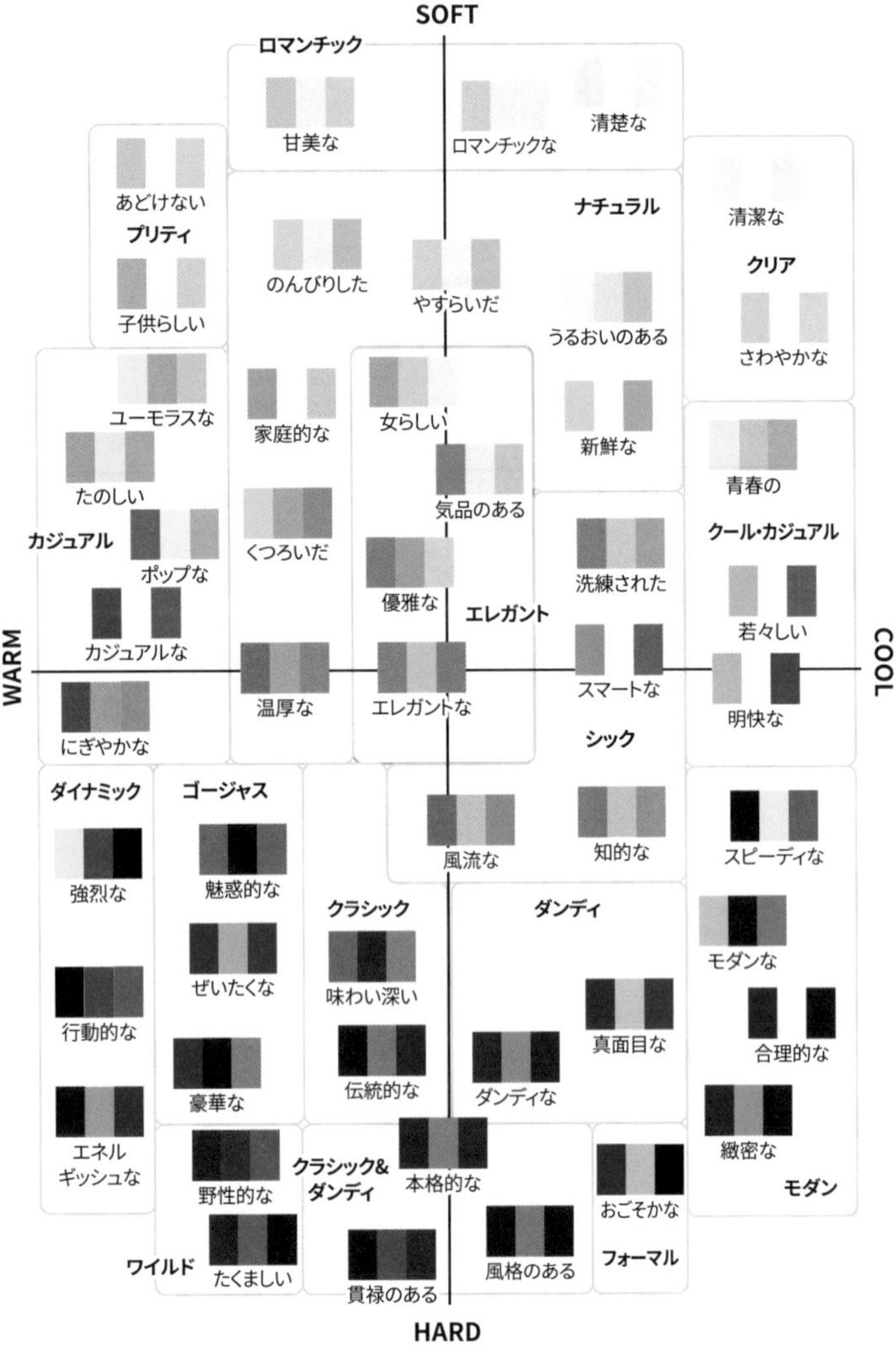

参考文献『カラーイメージスケール改訂版』
（小林重順 著、日本カラーデザイン研究所 編、講談社）

ディネートを試してみましょう。

具体的な配色例

「ダンディな」の場合は、ブラウンのジャケット・ダークオリーブの小紋ネクタイ・ネイビーのパンツというように、私も「服飾戦略スタイリング」のお客様には、言葉をイメージし、ジャケットやネクタイを重ねながら内面の価値を視覚情報化しています。

ビジネスの場では「ネイビー・グレー・白・黒」を基本カラー、「サックスブルー・ライトグレー、カーキ、ベージュ」をサブカラーとしています。カジュアルと名がついても、基本はビジネスの場で着用するのにふさわしい衣服であることが重要です。

その上で、アクセントカラーとして、華やかな色の持つ言葉やイメージを小物で少しだけ足して、戦略的に使用してください。

コーディネートの配色は3色以内にする

服の「コーディネートの基本」といわれている「3色コーデ」とは、文字通り三つの色でコーディネートをまとめることを意味しています。

例えば2色以内でコーディネートしてしまうとどこか物足りなく、コーディネート自体の難易度が上がってしまいます。かといって、4色以上でコーディネートするのはかなり上級者向きで、まとまりのあるコーディネートに見せるのが難しくなります。

そこで、おしゃれ初心者の方にも取り入れやすく、かつルールを押さえれば絶対的におしゃれに見えやすいのが3色を使ったコーディネートなのです。

とはいえ、ビジネスの場では、主にネイビー、グレー、ブラック、ホワイトなどの定番カラーを用いることが重要です。派手な色合いや過度なコントラストは避け、落ち着いた色調を選んでください。

ビジネス・カジュアルの3色コーデでおすすめの色と組み合わせは、「ビジネスの基本色2色＋アクセントとなる色1色」の組み合わせです。

アクセントカラーをビジネスウェアに取り入れる際は、ネクタイやチーフなどの小物から取り入れるのがおすすめです。

次に配色の基本をお話しします。

守るべきルールは、この二つです。

①コーディネートは「3色コーデ」
②色の面積のバランスは6：3：1

それぞれ、詳しく説明していきましょう。

①コーディネートは「3色コーデ」

コーディネートに使う色は、小物も含め3色までに収めるのが基本です。1～2色でもかまいませんが、いちばん収まりがよくまとまるのが3色コーデです。柄物を入れる場合、柄の色はメインカラーかサブカラーの同系色を選びましょう。失敗が少ないのが同系色の濃淡配色（トーン・オン・トーン）です。

同系色の配色で統一感を出しながら、濃淡でメリハリをつけるコーディネートにできます。例えば、濃いブルーのダークネイビー＋淡いブルーのライトブルーのシャツ、これにグレーのパンツを合わせると3色になり、ビジネス・カジュアルの基本から外れることもありません。

濃淡のネイビー＋白でコーディネートした場合は「1色のグラデーションとアクセントカラー」と考え、2色でカウントしてOKです。

②色の面積のバランスは6：3：1

色のルールの中で大事なのが、色の占める割合です。配色デザインの世界では「ベースカラー70％、サブカラー25％、アクセントカラー5％が黄金比率」といわれています。

これを参考にファッションに当てはめると、コーディネートに使う3色の面積は、それぞれ「6：3：1」にするとバランス良くまとまります。

6割「ベースカラー」：ジャケットやパンツなどいちばん広い面積を占める色
3割「サブカラー」：2番目に面積が広いシャツやインナーのニットなどの色
1割「アクセントカラー」：バッグや靴、ネクタイやチーフなどの、いわゆる差し色

ベースカラーとサブカラーには、［図4-2］で紹介した3色のベーシックカラーを割り当ててください。アクセントカラーは、「カラーホイール（色相環）」を参考に正反対に位置する「補色」を選びましょう。

例えばベースカラーのネイビーに差し色をプラスするなら、補色のイエロー系を入れてみてください。

明度（明るさ）や彩度（鮮やかさ）など、トーン（色調）の違いによって色の印象は大きく変わります。ここでは同系色のグラデーション、例えばブルーなら、多少の明度の違いはあっても、ブルー1色としてカウントします。黄色であれば、黄色から茶色までがグラデーションの中に含まれるため、それを1色と捉えても大丈夫ということになります。

「3色ルール」は科学的な研究の裏づけや絶対的法則として確立されたものではありません。ファッションのルールやガイドラインは、個々のスタイルやトレンド、美的センスに基づいて構築されることが一般的です。そのため、ファッションにおける3色ルールのような具体的な数値を掲げたルールの「学問的な裏づけ」は、一般的な学術的研究や科学的な根拠には基づいていません。3色ルールも、洗練されたコーディネートを作りやすくするための一般的なアドバイスの一つとして参考にしてください。

ただし、色彩心理学や色彩理論などの分野では、色彩が人の感情や認知に与える影響について研究されています。色彩理論では、色の組み合わせは感情や心理状態に影響を与える可能性があるとしていますが、具体的な「3色まで」というルールについての学術的な裏づけはありません。

自分のベーシックカラーを決める

「ベーシックカラー」は、あなたのビジネススタイルの基調色となります。ジャケットやパンツ、シャツなどのアイテムをコーディネートしやすくするためや、多くのアイテムを組み合わせやすくするために役立ちます。

あなたの仕事用の服は何色が多いですか？　自分のクローゼットに何色がいちばん多いかを確認してみてください。すると、意外なことに気づくかもしれません。

「濃紺の服が多いなあ」とか、「あれ、何でこの色を買ったんだっけ？」など、その時々の気分や、バーゲンだからと、深く考えていなかったこともありますよね。

じつは、自分のベーシックカラーをあらかじめ決めておくと、組み合わせる服がないということがなくなり、服の管理や買い物が驚くほど簡単になります。

なぜなら、服のコーディネートでいちばん失敗しやすいのが色の組み合わせだからです。明るすぎる色と暗すぎる色の組み合わせや、トーンが合わない色の組み合わせは、コーディネートを台無しにし、場違いな印象を与えてしまうこともあります。

ビジネス用のベーシックなカラーとして、私がスタイリングのお客様に推奨しているのが「ネイビー系濃淡・白・グレー系濃淡」の3色です。

・**ジャケット、トップス**：ダークネイビー系
・**シャツ、インナー**：白・サックスブルー・ネイビー
・**ボトムス**：ライトグレー〜ダークグレー

これに足すのが、

・**シューズ、バッグ、ベルト**：ブラック・ダークブラウン
・**チーフ、ネクタイ、小物**：自分を戦略的に演出するアクセントカラー

このアクセントカラーは、［図4-1］［図4-2］に示した色彩心理学で選んだ、自分を表現する言葉を持っている色です。

例えば経営者が、自社のコーポレートカラーと同色のネクタイやチーフを戦略として身につけることも多いです。

クローゼットにあるアイテムの色に法則を持たせれば、服の組み合わせは特に考えることなく、自然にできあがるのです。

配色の組み合わせ方３種

①同一色相の濃淡配色

同一色相の濃淡は、その色相に対する彩度（鮮やかさ）や明度（明るさ）の変化を指します。同じ色相を持つ色がより鮮やかであるか、あるいはより灰色がかかっていたり、薄くなっているかといった濃淡の差異です。例えば青の濃淡が濃い青から淡い青、あるいは白に近い青までの連続的な変化を指します。代表的なものが「黒〜白」までの濃淡を表現する「グレースケール」です。これに似た配色で「モノクロ＝黒と白」がありますが、これは濃淡の組み合わせではなく黒と白の2色の組み合わせです。

同一色相の濃淡の変化は、アートやデザインにおいて色彩表現を豊かにし、物体の形状や立体感を引き立てるのに利用されます。

同一色相配色を使ったビジネス・カジュアルの例をご紹介します。

グレー系の同一色相配色による組み合わせ

ダークグレーのジャケットにライトグレーのパンツを合わせ、ホワイトのシャツ、ベルトとシューズはブラックにすると黒・白・グレーの無彩色の濃淡で構成されたモノトーンの配色になります。

アイテム同士の色相が近いため、シャツやジャケットの素材を変化させると、洗練された印象を与えられます。

黒のベルトと靴ではなく、ダークブラウンのベルトと革靴を選べば、柔らかな印象になります。

ネイビーブルーの同一色相配色による組み合わせ

少し明るめのライトブルーの、縦の段が特徴的なコットンのコードレーンのジャケットと、ネイビーの軽いコットン製のカジュアルなチノパンツの組み合わせは、カジュアルでありながらも少しドレッシーなスタイルを作れます。中のシャツを白にすると、夏場に最適な爽やかで涼しげなビジネス・カジュアルになります。

一般的に、コードレーンのジャケットはカジュアルな雰囲気を持っていますので、それに合わせてチノパンツやカジュアルなシャツ、Tシャツ、あるいはパンツと同系色のネイビーのスニーカーやスリッポンを合わせると、カジュアル度が高くてもきちんとした印象のスタイリングになります。

ブラウン系の同一色相配色による組み合わせ

濃いブラウンツイードのジャケットに、少し明るめのライトブラウンのパンツを合わせます。シャツはクリーム色やベージュ、またはライトブラウンにすると、全体に柔らかな印象になります。革靴やベルトはブラウンで統一します。

このように、同一色相配色を使ったコーディネートは、トーンや濃淡の違いを工夫することで、失敗のない、洗練されたスタイルを作り出せます。アイテム同士の色味のバランスを考えつつ、素材やアクセントの使い方で戦略的に演出しましょう。

②類似色相配色

類似色相配色とは、カラーパレット内で隣り合う色を組み合わせた配色のことを指します。カラーパレットやカラーホイール上で隣接する色相を持つ色同士を使って、調和のあるコーディネートを作ります。選んだ基調の色相にその周囲の色相を組み合わせることで、コーディネート全体に調和をもたらします。

例えば、青を基調とする場合、それに隣接する青緑や紫といった色を取り入れることで、類似色相配色になります。同じ色調の異なる色を組み合わせることで、バランスの取れた洗練されたコーディネートを作り出せるのです。

ここではブルー系を基調とした類似色相配色を活用したビジネス・カジュアルのスタイル例をご紹介します。

ネイビーブルーとサックスブルーの組み合わせ

ネイビーブルーのジャケットにサックスブルーのシャツを合わせ、グレーのパンツでシックな印象を出します。隣接する色相のグリーン系のネクタイやポケットチーフをアクセントにしたり、小物をグリーン系に統一すると洗練された印象になります。ブラウン系の革靴やベルトを加えると、爽やかな印象になります。

ミッドナイトブルーとダークティールの組み合わせ

ミッドナイトブルーのジャケットにダークティール（深い青緑色）のパンツを合わせます。ホワイトのシャツでコントラストをつけ、ネイビーやダークブルーのネクタイでアクセントを加えます。ダークブラウンの革靴を選ぶと、モダンで洗練された都会的な印象になります。

ベージュとブラウンの組み合わせ

隣接する色のベージュ系にブラウンの線で格子柄になった明るいジャケットにダークブラウンのパンツを合わせ、ホワイトのシャツで柔らかい印象になります。アクセントとして、対角線上にあるブルー系のネクタイやポケットチーフを加え、ベージュやライトブラウンの革靴を合わせると、落ち着いた雰囲気が演出できます。

③究極の品格配色「アズーロ・エ・マローネ」

ビジネス・カジュアルの台頭と共に注目されている配色が、イタリアのメンズスタイリングの本領ともいえるノーブルな青（AZZURRO）と艶やかな茶（MARRONE）のコンビネーション、「アズーロ・エ・マローネ」です。

この配色はカラーホイールで対角線上にある補色同士の組み合わせなので、視覚的な対比を生み出します。イタリアの凛とした雰囲気を醸す清潔感のある寒色系の青と、エレガントでマイルドな雰囲気を醸す暖色系の茶の組み合わせで、メリハリを利かせながら絶妙なコントラストの中に上品さと奥ゆかしさ、落ち着きとリラックスしたイメージをシンクロさせた、流行に左右されず長年愛される配色です。

その理由は「茶色がジャケットやスーツの定番色であるネイビーを引き立てる色であ

［図 4-3］配色の組み合わせ方３種

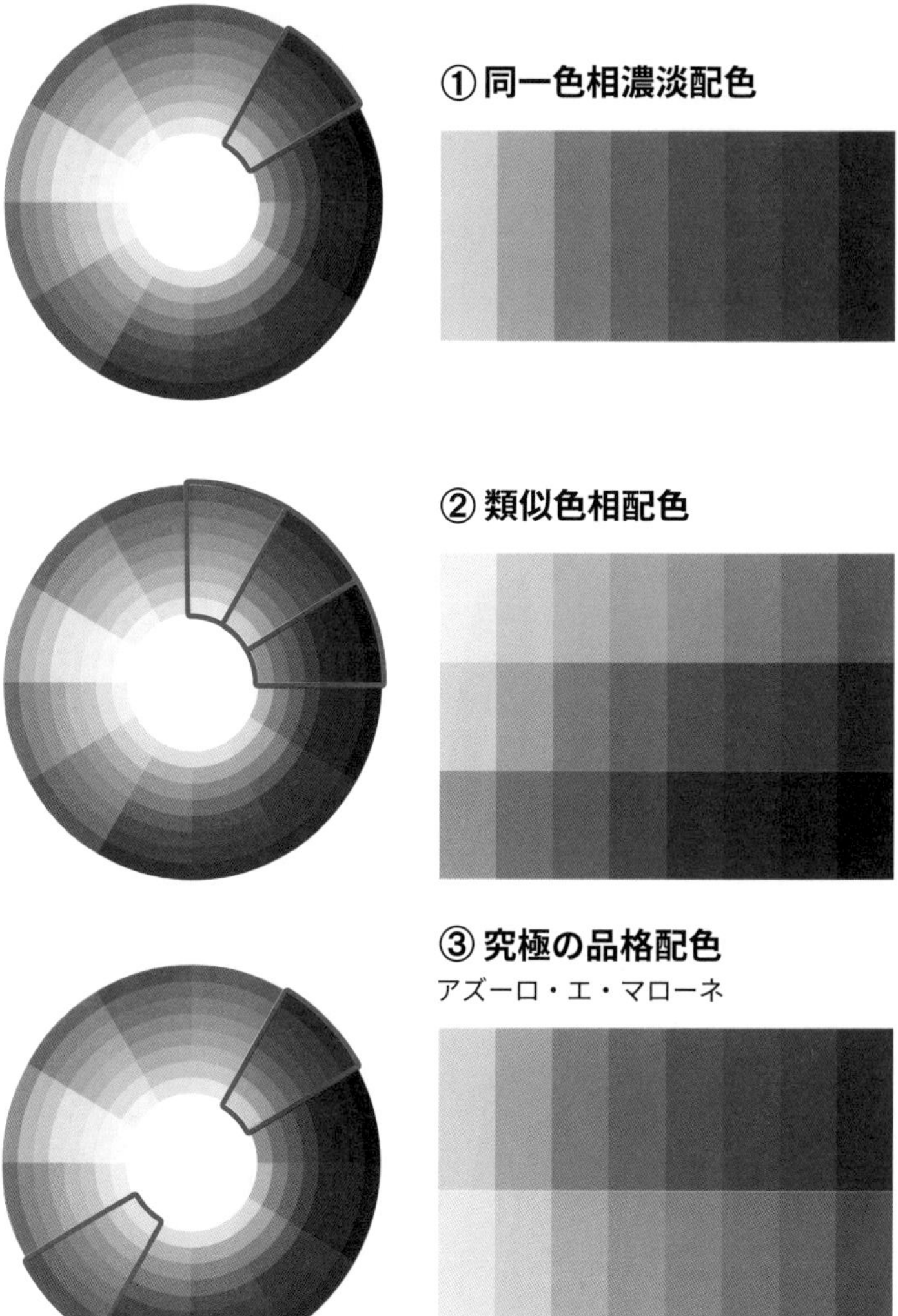

[図 4-4] 寒色（ネイビー）との組み合わせ例

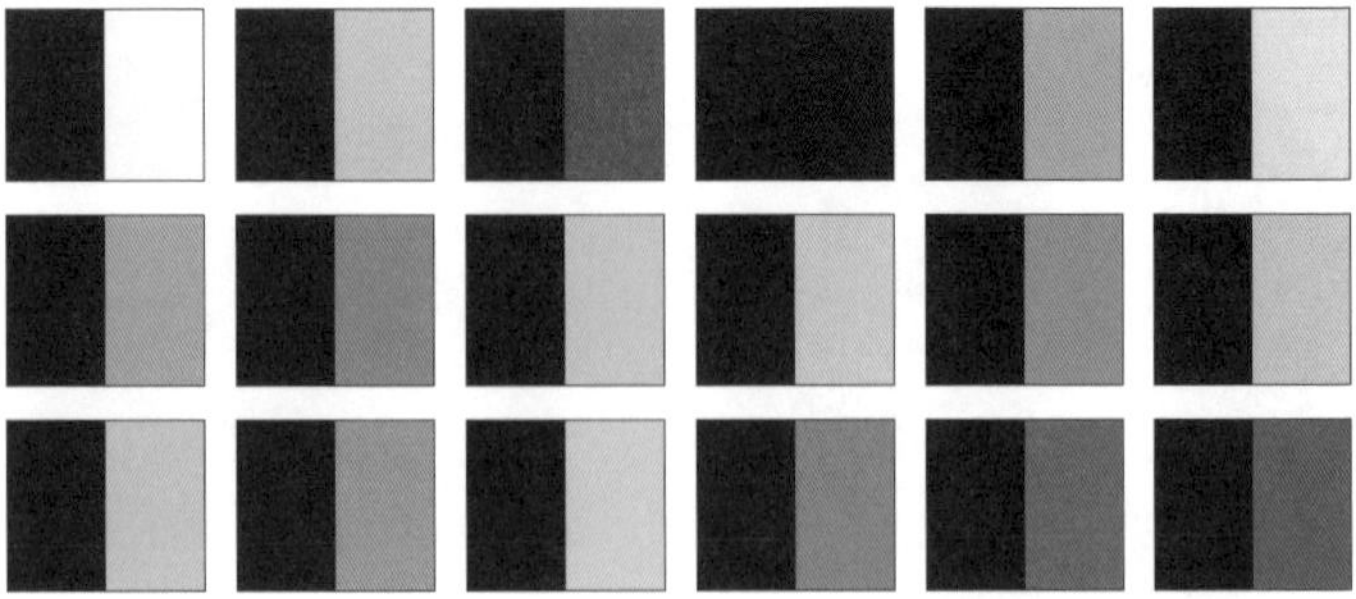

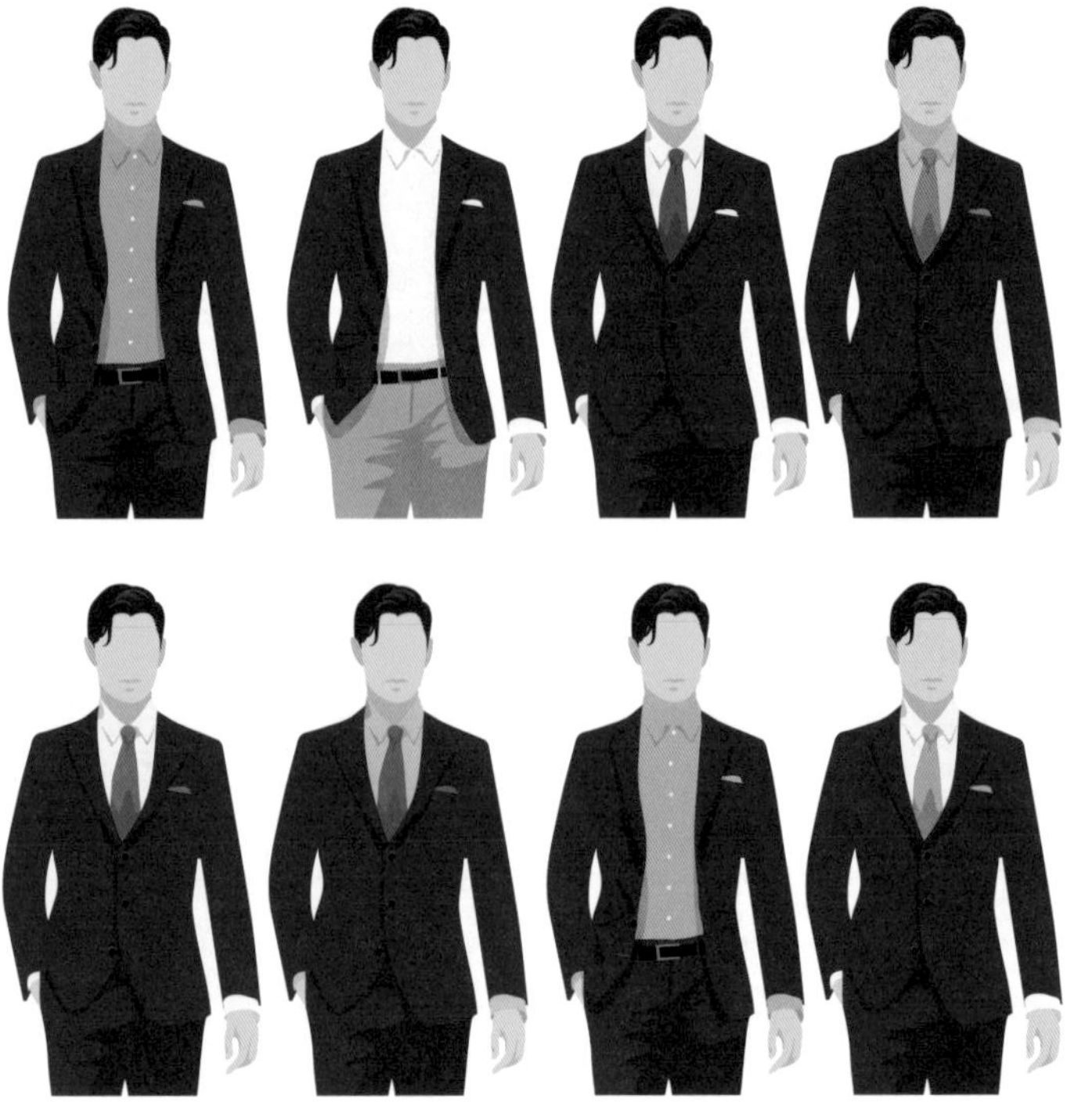

り、コントラストで着こなしを華やかに演出できる」からです。ドレッシーな着こなしは基本的に同系色の組み合わせがセオリーであるとされていますが、「自由な表現を大切にするエクスプレッショニスト（＝イタリア人）」ならではです。

色彩学において青は寒色、茶色は暖色に分類され、青と茶は正反対の印象を与える補色関係にあるため、組み合わせたときにお互いを引き立てる効果を生み出します。また錯視の効果として、着こなしが立体的に見えるという効果もあります。寒色は〝後退性＝他の色を組み合わせた際に遠くに見える〟のに対して、暖色は〝進出性＝近くに見える性質〟を備えるので、お互いの色を引き立て洗練された印象になります。

ここぞというときの服飾戦略として、品格に溢れ洗練された上品なスタイルを表現するコーディネートとしておすすめです。

第5章

【新常識5】
服はもう
たくさんいらない

オンライン時代に服はたくさん持たなくていい

コロナ禍をきっかけに、オンライン会議が増え、直接お会いしてご挨拶する機会が少なくなりましたが、あなたはいかがですか？

出社日数が減り、取引先の人と会議でしか顔を合わせないことが増えて、スーツを着る頻度も減った方も多いのではないでしょうか。

アパレル業界も、コロナ後にはスーツの販売数が激減しています。その代替として急激に増えているのが「高機能セットアップスーツ」です。

働き方の変化に合わせてビジネス・カジュアルの売り場が増えています。

スーツもどんどん多様化し、「セットアップスーツ」が加わることで、これまでのスーツブランドに加え、「adidas」「DESCENTE」などスポーツウェアのブランドも参入しています。これにより「高機能セットアップスーツ」が瞬く間に大手紳士服チェーンやユニクロにまで広がりました。

軽くてイージーケアな「アクティブスーツ」は現場作業にも対応できるタフさで、セットアップ価格も1万円未満（ワークマンなどでは税込み4800円でも売り出している）からありますし、撥水《はっすい》透湿、消臭抗菌、洗濯機で洗えるなどの機能を備えたスーツメーカーの4万円台まで、種類も豊富です。

さらに、高級ブランドでは織り柄プリントや、スタイリッシュで上質なハリコシ素材もあって、ジェットセッター（飛行機で各地を飛び回る人）などのエグゼクティブにも出張スーツとして好評です。

このように、豊富な商品の中から自分の働き方にフィットする仕事服を選べるようになりました。ビジネスウェアの装い方も「働くため」、「自分の印象を効果的に伝えるため」というように目的に合わせて二極化しています。

ビジネスウェアの自由度が増していく一方で、特別な会議やプレゼン時に自分の印象を効果的に伝える手段として「勝負スーツ」を求めオーダーするユーザーも増えています。

今までのオーダースーツは、企業の社長や役職、士業や自営業の専門家の人たちが、立場を示し信頼を得るために纏う高級・高額スーツが中心でしたが、近年はパターンオーダーなどのカジュアルオーダースーツを作れるメーカーが増えています。

価格も2〜3万円台からあり、リーズナブルな価格で体型に沿うオーダースーツが作れるようになったため、「目的に合わせてビジネス時の印象を含めて作り込む」という新たな戦略でスーツをオーダーする人が多くなりました。

それにより、ビジネス時の服も目的と用途が明確になり、本当に必要な衣服があればいいという「厳選購入」が増え、服はたくさん持たなくていいという人が急増しているのです。

自分が心地よいと感じる「上質な着心地」

コロナ禍によって働き方が変わったのと同時に、ビジネスウェアにも価値観の変化が起こりました。あなたも服の買い方が変わったのではないでしょうか？

高機能スーツの普及やオーダースーツの市場拡大が示すように、「自分にとって着心地の良い上質な服とは何か？」を基準に、服選びをする人が多くなっています。特に機能性やデザイン性に優れた高品質なスーツは費用対効果も高く、低価格志向の人にも、富裕層にも人気です。また、プライベートな時間も心地よく過ごすために、肌触りが良く、健康に良い商品へと消費動向も変化しています。同時に「上質」という言葉の意味は誰もが同じように認める共通のものから、自分だけの「マイ・フェイバリット」へと変わり、その選択のバリエーションも広がってきています。

かつては、Tシャツといえばヘインズなどのリーズナブルなアメリカのブランドが人気でしたが、ビジネス・カジュアルの広がりと共に、今は高級素材で肌触りの良い「ロロ・ピアーナ」「ジョセフ」「サンスペル」などの高級ブランドが人気です。

ロゴや柄は控えめで、素材やシルエットを楽しむこのトレンドは、海外のセレブや、ジェットセッターに愛用されています。華美ではないけれど存在感がある「上質な着心地」の商品は品格があり、きちんとした印象を求められるオフィスにも最適です。

一つの服にお金をかける という価値観が再来

あなたにも、「ここにだけはこだわりたい！」という基準で選んだ服がありませんか？ それは「自分にとっての良い服」であり、各々が豊富な情報の中から自分にとって心地よい服を見つけることのできる時代になりました。つい数年前までのファッション誌では、「シャツは○○を選ぶのが正解」という鉄則のような記事が多く、「トレンドの服でなければ遅れている」とする風潮がありました。しかし近年は、「良い服」の正解も一つではなくなりました。

肌触りにこだわったTシャツ、素材の織り方にこだわったシャツ、ストレッチ性がある上になめらかなウールのような素材など、「どこにこだわり、お金をかけるか？」という選択肢が広がっています。大切なのは、「服のどこに投資するのか」を、きちんと自分で納得できていることです。

イギリスのハリスツイードは昔から、再生ウールが混ざっていないピュアバージンウール100％で作られ、議会制定法によって保護されている世界唯一の生地です。

1993年に制定された「ハリスツイード法」では、ハリスツイードは「アウター・ヘブリディーズ諸島のピュアバージンウールを染色・紡績し、島民が自宅で手織りして仕上げたもの」と定めています。もちろん本物のこの素材のジャケットは高額ですが、イギリスでは100年前から愛用され、祖父から父、息子へと伝統的に着用されたという歴史があります。

現在では再生素材のジャケットや手袋などの小物もあります。それらを大切に手入れしながら使うということはSDGsの視点からも、大切なことだと思います。

私もお客様におすすめする商品は、毎回その商品の歴史的背景や商品誕生にまつわる物語を調べます。その上で、その人の人生設計や服飾戦略と重なるかを吟味するのです。

かつてブランドばかりに頼っていた「上質」というものの概念が、大きく変容しています。「上質な品、良い品とは何か?」の本質的な意味を理解する人たちによって選ばれていくものこそが、これからの時代も残っていくのだろうと思っています。

賢い人は、店舗で服を買うことのムダに気づいている

あなたは最近服を買いましたか？　その服はどこで買いましたか？　仕事が忙しく、できれば時間を取られたくないと思うなら、ＥＣサイトの活用をおすすめします。

じつはここ数年、ＥＣサイトはものすごいスピードで進化しています。

アパレル企業は今、ＥＣやＯＭＯ（ネットとリアルの融合）のマーケティング施策において、最先端の取り組みを実施しているからです。

例えば、スタッフによるコンテンツ投稿も、ファッション企業から普及していますし、商品ページで商品紹介動画を配信する施策も急速に広まっています。スタッフを活用したサービスの進化により、自分と似たような体型のスタッフコーデを頼りに服を探せば、着用イメージがわかるため、実店舗で試着しなくても大丈夫。さらに商品についての細かな説明や、同じ商品を使った異なるコーデを知ることもできるのです。

ファッション分野の大手企業のＥＣサイトは、購入者のレビューや特集記事など、一般的なＥＣサイトにも載っているコンテンツなども、もちろんそろえています。

例えば、「洋服の青山」のＥＣサイトでは、各店舗のスタッフがいろいろなスタイルの服を着た姿で登場しています。スタッフは身長別に選択でき、アイテムを絞り込むこともできます。中には、小柄な方や少しぽっちゃりした方もいて、似た体型の悩みを解決してくれるものになっています。

自分のお気に入りスタッフをフォローすることもでき、他のコーディネートと比較しながらショッピングできるように使いやすく工夫されています。

また、初回だけは実店舗でプロによる採寸の上で試着し、自分のサイズをデータ化したサイズをもとに、それ以降の商品の購入はオンラインで行う方式のスーツオーダーの店舗も多数あります。価格も2万円台〜5万円で、スーツやジャケット単品だけというオーダーも可能で、費用対効果も高く、今後もこのような店舗が増えていくでしょう。

ＥＣサイト、５つのすごいところ

①人目を気にしなくていい

ＥＣサイトのメリットは、スマホなどのネット環境さえあれば、時間や場所を問わず購入できることです。店舗で試着すると、購入予定のない他の商品をすすめられることもあり、気を遣うことも多いですよね。ＥＣサイトで購入して自宅で試せば、ショップスタッフとのやりとりや、試着のときの気恥ずかしさを味わうことなく、ムダな時間と出費の呪縛から完全に解放されることにもなります。

ただし、初めて服を選ぶときや購入に迷いがある場合は、実店舗で信頼できる販売員に相談にのってもらうのもよいでしょう。

ファッション系のＥＣサイトは、大きく二つのタイプに分けられます。

一つは、自社でデザインして、自社工場を持っている「メーカー」、もう一つは、メーカーから買い付けた服を集めて売っている「セレクトショップ」です。

ＥＣサイトで購入する上で問題となるのは、「サイズが合っているか」という点です。この問題をクリアするためには、好きなブランドをそろえた実店舗に行って試着をし、自分に合うサイズをあらかじめ確認しておくことが重要です。

特にビジネス・カジュアルを格上げする大人気のイタリア系ジャケットなどは、サイズ表記が日本のものと違うので実店舗で試着をし、サイズ確認をしておくことをおすすめします。

仕立ての良さとスタイリッシュなデザインで知られるイタリア系ジャケットの中でも、日本人におすすめなブランドが「タリアトーレ」と「ラルディーニ」です。両者はともに一目でわかるアイコンを持っています。個性的な生地にこだわるタリアトーレはメタルのシルクハット。一方、仕立ての技術と遊び心のあるデザインが特徴のラルディーニは花がトレードマークです。製品の細部まで行き届いた工夫とおしゃれ心があり、日本人の体型にもフィットします。自分のサイズを知って、海外のアウトレットサイトで購入することも可能です。服飾戦略スタイリングのお客様にもこの方法と買い方のコツをお伝えし、毎回喜ばれています。

②返品ができる

ＥＣサイトで買うことのメリットは、自分の家で思う存分試着ができ、合わなければ「返品ができる」ことです。サイズが合わなかった、好みでないと思ったら返品することも可能です。

ＥＣサイトによっては購入枚数の制限いっぱいまで取り寄せて、全部を返品することも可能ですが、中にはサイズ違いやイメージ違いの返品や交換を受けつけないケースもあります。送料のことも含め、各ショップの「返品ポリシー」を事前によくチェックしておきましょう。

返品期限も1～3週間くらいと、サイトによってまちまちなので注意が必要です。

この他、試着時にはタグを取らない、包装の袋は破らない、ジャケットはハンガーに戻す、汚したりしわくちゃにしたりしないといった常識的なルールを守りましょう。香水の匂いをつけたりすることももちろんNGですし、暑い時期の汗にも注意が必要です。また、忘れがちですが、服を触る前には石けんで手を洗うというのも、商品を扱う上での大切なマナーの一つです。

このように、実店舗は試着してサイズ感と素材感を確かめるためのショールームとして使うにとどめ、実際に購入するのはネットでと考えるのが賢い方法です。

③こまめなセールがある

現在のファッション系ECサイトでは、セールやアウトレットというカテゴリが設けられ、かなり頻繁にセールが行われています。

シーズンが終わった後に在庫を抱えたくないため、本当に細かいスパンでセールをして

［図5-1］ＥＣサイト三つのチェックポイント

1. 返品（通常価格・セール商品）の可否

・返品（セール品も含む）ＯＫの場合、商品到着から何日以内か？
・返品商品の送料負担は誰がするのか？

2. サイト運営会社は信用できるか？

・有名デパート、有名セレクトショップ、各ブランドの公式サイトなどで買うと安心です。
・総合ＥＣサイトなどは避けましょう。

3. 商品説明やサイズ・素材表記があるか？

・素材は画面だけではわかりにくいので、「コットン95%、ポリエステル５%」などの素材表示を確認しましょう。
・メーカーによってＳ・Ｍ・Ｌサイズ（適応サイズ）は違います。必ず「仕上がり寸法」（実寸）をチェックしてください。自分にちょうどよい適応サイズと、仕上がり寸法を比べて目安にしましょう。
※服を平らに広げ、「胸回り・着丈・腕の長さ」などを測りましょう。サイト内には「サイズガイド」があるので、必ずチェックしておきましょう。

います。むしろセールをしていない日がないほど、どこかのＥＣサイトで何かしらのセールが行われています。15〜30％オフ、中には50％以上もオフの価格で、会員登録したら送料無料や初回割引などの特典をつけるサイトも見られます。

季節の違う海外に行くときなどは、このセールがとても役に立ちます。日本の冬の時季には実店舗で夏服を買うのは難しいのですが、ＥＣサイトであれば通年の服が安くそろっているのでとても便利です。また、最近は海外のアウトレットサイトで購入することもできるようになりました。

着る人のいない服の大量廃棄による地球環境汚染を軽減するＳＤＧｓの観点からも、こうし

[図 5-2] 費用対効果が高いビジカジ

●ユニクロ

・家でも洗える高機能素材のセットアップが多く、ビジネススーツを着たときのようなストレスがありません。
・インナーに着るシャツやポロシャツなど、快適な仕事着コーデがそろいます。
・シャツの下に着る機能性素材のインナーも軽くてストレッチ性があり、汗も乾きやすく、おすすめです。

●無印良品

・シンプルなデザインで清潔感もありつつ、素材にこだわっているため、良い着心地です。
・「撥水ストレッチジャケット」と「撥水ワンタックパンツ」は、テーラードタイプのジャケットに共地のパンツが別売りのセットアップスーツです。低価格のわりに素材の質が高いです。
・ニット商品も、メリノウールを使った肌触りの良いセーターが多いです。

たセール品を上手に活用したいところです。

なお、先に「返品ができる」ことに触れましたが、今回、本書でご紹介しているECサイトは、セール品でも返品可能なところだけに絞っていますのでご安心ください。

④手持ちの服と合うかどうか試せる

ECサイトで購入するメリットは、まだまだあります。

それは、家のクローゼットにある手持ちの服と実際に合わせられるということです。ECサイトでジャケットを取り寄せたら、自分で合わせようと思っているシャツと、パンツとを合わせてみるのです。実店舗での試着では、クローゼットにある服と合うかどうか不安ですし、判断するのが難しいです。けれど、ECサイトを

1.トップ画面の「特集」から情報収集する

「特集」ページ　　商品ページ

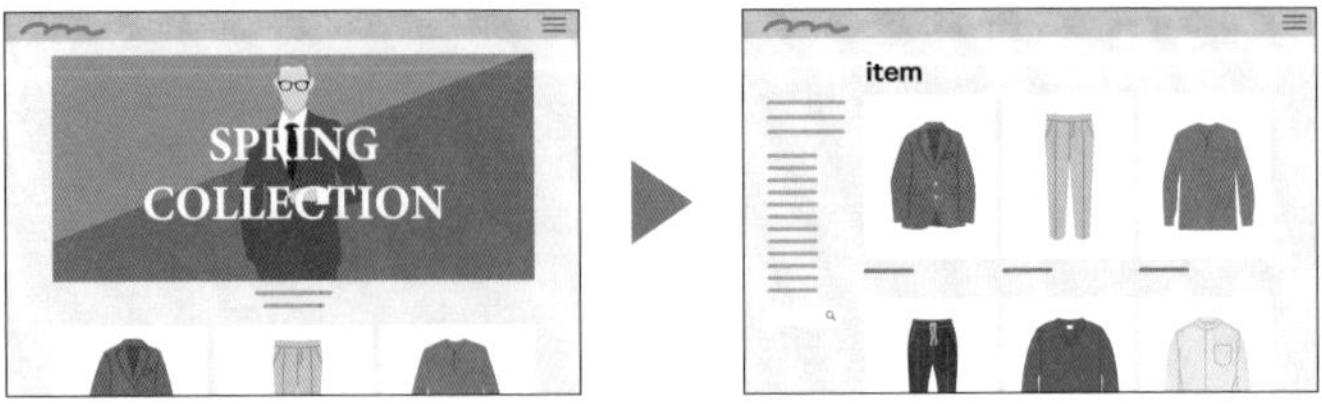

2.欲しい商品と、スタッフコーデで情報収集する

商品ページ　　スタッフコーデ

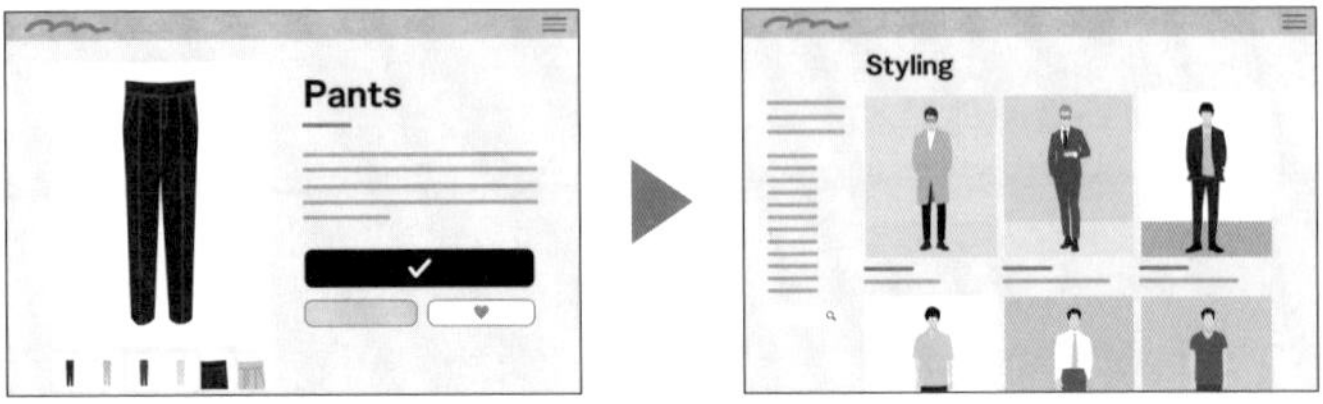

3.自分に近い身長のスタッフコーデから情報収集する

スタッフ一覧　　スタッフのコーデ一覧

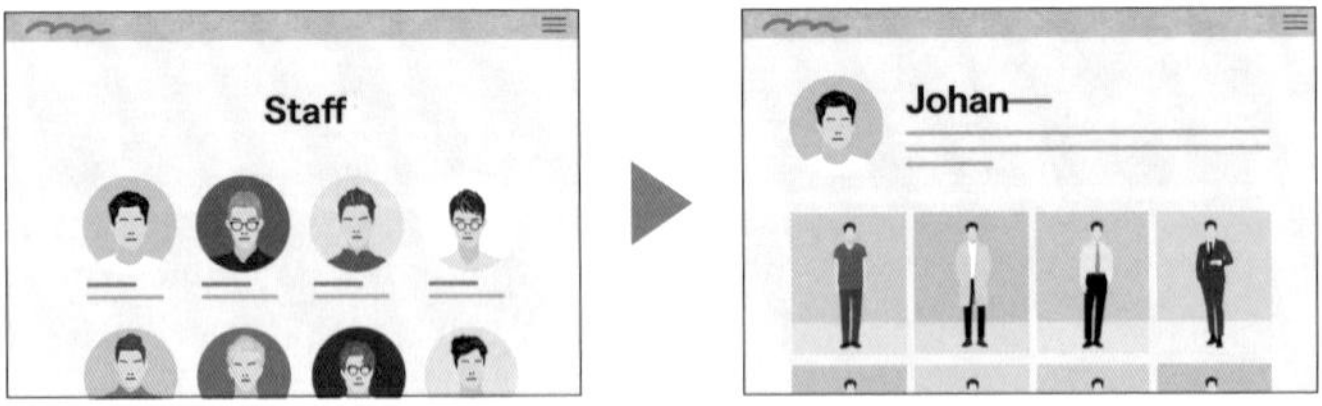

使うことによって、失敗を未然に防ぐことができるのです。

もう一つのメリットは、実店舗ではためらってしまうような少し勇気のいる服を自宅では堂々と試せることです。実店舗では値札を見づらいという経験のある人も多いと思いますが、ECサイトなら自分ではほとんど手にしないようなデザインや価格の服も気兼ねなく試着できます。トレンドのものを試してみて、気に

[図5-3] ECサイトで賢く情報収集

ここでは、ファッションECサイトを上手に使いこなすため、プロが実践している裏技をご紹介しましょう。

1. ファッション情報やオケージョン別のコーデ特集

各ECサイトでは、ファッション誌のように各ブランドでファッション特集を組み、今年のトレンド情報やオケージョン（特別な行事や祝い事）に合わせた服の提案をしています。

ISETAN MEN'S 通販サイトの「男性のスマートカジュアルとは？」という特集では「レストランデートにおすすめのジャケパンスタイル」「コンサートにおすすめのセットアップスタイル」「忘年会、同窓会におすすめのノージャケスタイル」など、シーンに合わせた具体的なコーディネート例を紹介しています。

2. スタッフコーデの着用感とリアルコーデ

商品は一般的に、モデルが着用している写真が掲載されています。こうした雑誌などのモデルの平均身長は175～180センチが多く、ハイファッションブランドとなると185センチ以上が目安となります。このため、大半の人にとっては実際に着用したときのイメージががらりと変わってしまいます。

そこで活用していただきたいのが、自分と近い身長のスタッフのコーディネートです。

欲しいアイテムが見つかった後、皆さんにぜひ使いこなしていただきたいのがスタッフコーデです。サイト内には「スタッフコーデ」というカテゴリがあり、商品の下にスタッフのコーディネート写真や動画が掲載されています。

3. コーデの見本となる大人気のスタッフコーデ

スタッフコーデは自分が着用したときのイメージや、どう着たらいいかというコーディネートの見本としても有効に活用できます。

最近では、どこのブランドもこのスタッフコーデが大人気で、紹介の仕方も進化しています。ブランドによっては動画もどんどん取り入れています。

動画にすることで、360度動いたときの見え方も客観的に把握でき、さらに素材の質感もわかりやすくなっています。

入ったものや似合っているものがあったら購入すればいいですし、どうも合わないというものなら返品すればいいのです。

実店舗にジャケットを買いに行くために、クローゼットからシャツやパンツを何着も持っていくという人はまずいないと思います。実店舗の試着では、スタッフの人に気を遣ってしまいますが、家であれば、試着姿を見せるにしても、家族か恋人くらいでしょう。これによって、新しい自分との出会いが生まれたらいいですね。

⑤様々なブランドを一度に比べられる

ファッションECサイトは、検索の仕方ひとつで格段に使いやすくなります。スマホやパソコンさえあれば、様々なブランドを一度に比較検討することが可能です。

ここでは、検索の方法を三つに分類し、検索の目的に従ってどのようなキーワードを入力すればいいのかについてお話しします。検索エンジンとしては、一般的なGoogleやYahoo!を使うものとします。

まず、「全体の傾向が知りたい・服の名前が知りたい」場合は、季節や西暦を入力し、画像検索します。すると、今年の新しいトレンドアイテムが登場します。いろいろなサイトが出てくると思いますが、ここでは上位5つくらいまでのブランドサイトを見てみましょう。シーズンのおすすめコーディネートを見ることができます。

次に、「着る目的やシーン」に沿った検索です。着る目的やシーンや場所、季節、テイストなどのキーワードを入れ、やはり画像検索します。

三つ目に、「欲しい服（アイテム）を比較検討したい」場合です。アイテムや色、形の特徴、素材に関するキーワードを入力します。素材の名前がわからないときは、なめらか、すべすべ、ごわごわ、ざっくりなど、手触りを表現する擬音語・擬態語を入れるといいでしょう。

商品の価格帯は、サイト内の検索枠で具体的な数字を入れましょう。

[図 5-4] ＥＣサイト検索キーワードのコツ

●全体の傾向が知りたい・服の名前が知りたい

🔍 メンズファッション　冬　2024

①季節、西暦を入れる（冒頭の「メンズファッション」は以下共通）

②画像検索をクリック

・そのシーズンの新しいトレンドアイテムが出ます。

・画像をクリックすると、商品名やコーディネートの解説を見ることができます。

★ブランドのＥＣサイトで、シーズンのおすすめコーディネート特集を見ることができます。

●着る目的やシーンに沿った服を知りたい

🔍 レセプション　ホテル　４月　来賓　品格

①着る目的・シーン・場所・季節・テイストを入れる

・着る目的・シーン：その服を着て何をするか

・場所：着ていく具体的な場所

・季節：春・夏・秋・冬、１月・２月、いつ着るの？　など

・テイスト：品格、信頼感、爽やか、やさしい、知的　など

②画像検索をクリック

・画像をクリックすると商品の詳しい名前や価格なども出てきます。

・商品説明とサイズ、状態、カラー、素材、付属品など、写真で注意深く確認します。

●欲しい服（アイテム）を比較検討したい

🔍 カーディガン ネイビー 襟つき 伸縮 ニット ビジネス

①アイテム・色・形の特徴・素材を入れる

・アイテム：服の名前、カーディガン、ジャケット　など

・色：色の名前、ネイビー、グレー　など

・形の特徴：襟つき、Ｖネック、アラン模様　など

・素材：ニット、ウール、麻、アクリル　など

・目的：ビジネス　など

[図 5-5] インポートジャケットの平均価格

¥200,000

伊／ベルベスト
美しく上質な素材の良さを活かしたクラシカルで伝統的な洗練されたスタイル

伊／ボリオリ
「クラシック＆モダン」をコンセプトに、クオリティの高いファブリックと洗練されたシルエット

英／アクアスキュータム
流行にとらわれない王道

英／ポール・スミス
素材・裏地までこだわり、デザイン性が高い

伊／イザイア
伝統的なナポリのテーラード技術をベースに洗練された遊び心のあるモダンスタイル

英／マッキントッシュ
トラッドテイストを基本にシンプルで上質、落ち着いたスタイル

米／ポロラルフローレン
上品でクラシックをベースにしたカジュアルなライン

¥100,000

伊／ラルディーニ
世界の名だたるメゾンの製品を30年以上続けてきたクオリティの高い技術

米／ポール・スチュアート
NY発ならではのトレンドと洗練を融合させたモダンなスタイル

米／バーニーズ ニューヨーク
ディテールに凝ったスタイリッシュブランド

日／エポカ ウォモ
素材・裏地までこだわり、デザイン性が高い

日／シップス
イギリスの伝統スタイルをベースに現代風にアレンジしたスタイル

伊／タリアトーレ
イタリアならではの上質素材・色使い

日／トゥモローランド
スーツの基本を踏まえながらも素材と細部に品格と遊び心を併せ持ったスタイル

日／セオリーリュクス
ディテールに凝ったスタイリッシュブランド

日／タケオキクチ
日本のビジネスマン向けの英国スタイルを基本としたデザインのベーシックなスーツ

日／ユナイテッドアローズ
クラシックをベースに流行を取り入れたスタイルが基本

¥50,000

ジャケット、コート、Tシャツなどのサイズ換算表

国際基準	日本	イタリア	アメリカ	イギリス	ドイツ	フランス
XS	1 (S)	44	34	34	44	38
S	2 (M)	46	36	36	46	40
M	3 (L)	48	38	38	48	42
L	4 (LL)	50	40	40	50	44
LL	5 (3L)	52	42	42	52	46

海外ブランドの服は、アイテムごとにサイズを実店舗で確認した方がよい。上の表はあくまで目安であり、実際にはブランドごとの違いがあるので注意が必要。

[図 5-6] ビジネス・カジュアルおすすめサイト

◆スマホやパソコンでカジュアルオーダーメイド	
SADA ・フルオーダー ・スーツ ・ジャケット ・パンツ ・シャツ	全国に 47 店舗あり、初回は店で採寸して体型データを登録する。マシンメイドのフルオーダーで採寸精度が抜群に高く、手の届く価格でフルオーダースーツの注文が可能。どんな体型でもフィットしたスーツを仕立てられる。2万円台でオーダージャケットが作れる。店でサイズを登録し、オーダーはスマートフォンやパソコンから。オーダーの方法が簡単。 ●フルオーダー：ビジカジ対応・ジャケット&パンツオーダーも可能。
FABRIC TOKYO ・セットアップ ・ジャケパン ・高機能素材 ・ジャケット ・パンツ ・シャツ	全国に 10 店舗あり、初回のみ店舗で採寸して体型データを登録し、ネットで注文ができる。セットアップも豊富でジャケットやパンツだけの対応も可。ストレッチ性、防シワ性など、機能性を追求した生地を豊富に用意。ウェブ情報量が多く、オーダーの方法の説明も細やかで丁寧。 ●イージーオーダー：高機能素材でビジカジ対応・セットアップ・単品。
BIGVISION ・スーツ ・最短 1 週間 ・ジャケット ・パンツ	全国に 26 店舗あり、オプションや生地の選択肢が多く、価格も 25,000 円〜。納品までは基本的には約 3 週間だが、急ぎの場合は「7Days オーダー」という該当商品から選べば注文から 7 日間で仕立てが可能。ネット通販にも対応しており、一度採寸していれば 2 度目からはネットで簡単に注文することも可能。 ●イージーオーダー：ビジカジ対応のジャケット・パンツオーダーも可能。
◆上質なスーツやジャケパン	
麻布テーラー ・スーツ ・シャツ ・ジャケット ・パンツ	全国に 25 店舗あり、創業 100 年の老舗で、初めてオーダースーツを作る方も安心。スーツの基本 3 種類のモデルと 3,000 種類を超える生地から選択でき、シルエットやオプションを加えフィット感の良い一着が作れる。縫製はすべて国内の直営工場などで行われている。インポートの素材はロロ・ピアーナ、エルメネジルド ゼニアなど、イタリアとイギリスから調達。 ●パターンオーダー：ビジカジ対応のジャケット。上質・品格ある一着。
◆上質な仕事用のオーダーＴシャツ・シャツ	
SOLVE ・Ｔシャツ ・シャツ	高級感のある仕事用のＴシャツ表面にシルケット加工した日本製。綿 100% のノンアイロンオーダーシャツが 6,600 円からオーダーできる。「自信と勇気を身にまとう」をコンセプトに、20 〜 60 代の男性向けに高品質なオーダーシャツや仕事専用のセットアップやＴシャツ、ニットなどのビジネスウェア を提供。 ●成功する「装い」がテーマ。オーダー時は会員登録が必要。
◆海外アウトレット　ラルディーニ・タリアトーレが半額	
YOOX ・ジャケット ・パンツ ・コート ・バッグ ・マフラー	イタリア生まれのライフスタイル・オンラインストア。海外のトップブランドのウェアを豊富にそろえ、10,000 ブランド以上を取り扱い。イタリアのブランドはかなりお買い得で、ラルディーニやタリアトーレは商品が豊富。 ●通常セールと並行して開催される割引キャンペーンのときも狙いめ。 ●価格帯や色なども絞り込んで探せる。 ●すべて正規品で、商品を受け取り後 30 日以内であれば返品可。

おわりに

ビジネスファッションは「センスと学問」である

「ビジネス・カジュアルとはいえ、そこまで着崩していいの？　やりすぎじゃない？って言いたいんだけど、規定とかがない中で注意すると、単にパワハラになっちゃうのよね……」

コロナ禍以降、激変したアパレル業界の現状と、玉石混交状態で発信され続ける「ビジネス・カジュアル情報」を危惧していた矢先、会食の席で、ＴＶのＣＭも流している誰もが知る大手一流企業につとめる友人が口にしたつぶやきです。

スーツは、毎日の通勤に欠かせない仕事服でした。しかしコロナ後、世界的にカジュアル化が進むと、ビジネス服に迷ってしまう方も増えました。そんな懸念に対して大いに賛同してくださり、共に企画を考えてくださったのが、株式会社ＫＡＤＯＫＡＷＡの小林藤彦氏です。「今一度、これからのビジネスファッションセンスについて先生の得意とする〝学問〟としての視点から熟考し、ビジネス・カジュアルの基準となる書籍を作りましょう」とスタートしたのが本書です。

今、ビジネスの現場では、柔軟性や働き方の多様性が重要視されています。と同時に、トレンドやスタイルの変化に敏感で、ビジネス環境に合った適切なビジネスファッションを選択する能力が求められています。その能力を身につけるには、「なぜそのビジネスファッションなのか？」という問いに対する答えを明確にできる知識や学びが必須です。つまり、「体型」「デザイン」「心理学」を理解することで、自分だけのセンスが育まれ、よりプロフェッショナルな印象を生み出せるのです。

そのうえで大切なのは、失敗を恐れないことです。不安に思っても大丈夫です。リスクを取った分、その見返りとしてあなただけのセンスが手に入ります。

昨日までの自分だったら選ばないような色や柄に挑戦してみる。普段身につけない素材やアイテムを取り入れてみる。このようなちょっとした冒険がきっかけとなって、小物使いのセンスが磨かれ、服選びも上達していくのです。

以前、スタイリングのご依頼を受けたお客様から「女性を相手にビジネスする上で、好感を持たれる服飾戦略をお願いします」というリクエストをいただきました。

そのときに私が用意したのは「ピンクストライプのクレリックシャツ」でした。

大手銀行の役職から独立されたその方は非常に驚かれて、「自分には似合わないのではないか？」と不安そうでした。そこで「小さな冒険から始めましょう！　だまされたと思って、ターゲットとするお客様の前で着てみてください」と背中を押したのです。すると後日、「自分でも驚くぐらい女性から褒めていただき、好印象を持っていただきました」と、うれしい報告を受けました。あのときから、お仕事も順調に拡大し、20年近く経つ今でも、ビジネスの場でピンクのシャツをご愛用いただいています。

私はお客様からスタイリングの依頼を受けたら、まず最初に「ヒアリングシート」をお渡しします。「どのような自分として存在感を纏いたいか？」をあらゆる角度から質問します。目的は、仕事において何を重要視し、どのような目的を追求するかを探求することです。そこから見えてくるビジネス上での哲学や、その人ならではの個性や魅力の根源が浮かび上がるのです。

それを「信頼」「品格」「知性」「情熱」「誠実」「叡智《えいち》」など言語キーワードに落とし込むことで、自分の存在感を表す服が見出せるのです。

服を購入するときは、
①ビジネスの場に適した服であること
②「流行」に惑わされないこと
③信頼でき、仕事ができるように見えること

というビジネスウェアとして基本の三つのポイントを、念頭に置いてください。
店舗で購入するときは販売員さんに、この三つを必ず伝えてください。その上で、販売員さんに、どのような人物に見える服を探しているかの言語キーワードも伝えます。「知的で落ち着いた印象」「親しみやすくて、相手を緊張させないが、きちんとしている」「クリエイティブでキレのある人」というように具体的に伝えます。
たとえば伊勢丹新宿店では、私が信頼している素晴らしい販売員さんがブランドごとにいます。ビジネスウェアとして基本の三つのポイントと、ヒアリングシートで導き出したキーワードをお伝えすると、イメージに合う商品を用意してくれます。

着た瞬間に「自信と勇気が腹の底から湧き上がる」と思える服に出会ったときから、人生は大きく変わっていきます。言動は自信に溢れ、周りに対する振る舞いが無意識に変化し、やがてそれは自分への評価となってプラスのスパイラルが生まれ、「服の知恵と力」があなたを良き人生へと導いていくのです。

ファッションとして独自のビジネス・カジュアルを確立したのが、黒のタートルネック姿で世界中のユーザーに向けて発信を続けたアップル創業者の故・スティーブ・ジョブズです。その黒のタートルネックを作ったのは、世界的ファッションデザイナーの故・三宅一生でした。ジョブズは1981年に三宅一生と出会い、三宅の持つファッション哲学に魅了されます。ジョブズが黒のタートルネックしか着用しない理由は、朝、決断しなければならないことの数を減らし、仕事に集中するためだといわれています。つまり、ジョブズが世に示したのは「哲学を纏う」という姿勢です。

これは、後にマーク・ザッカーバーグやバラク・オバマも採用した服装の考え方です。

つまり、ビジネスにおけるファッションは「哲学を纏う」という側面を持っているということなのです。

私が「服飾戦略スタイリング」のためにお客様へご用意するものは二つ。

「服」と「自分に対する自信」です。自分が誰で、何を表現したいのかを、着こなしや生き方で示すのです。服装が雄弁に語るということは、スーツ誕生以来の普遍の真実でもあります。

それでは本書の結びとしまして、今も語り継がれている著名人の名言をいくつかご紹介します。

ソニー創業者　盛田昭夫
「男は外見にも責任を持たなければならないよね」

フランスの小説家　オレノ・バルザック
「服装に対する無関心は、精神的な自殺行為に等しい」

イギリスの劇作家　オスカー・ワイルド
「外見で人を判断しないのは愚か者である」

アメリカのジャーナリスト　ジョージ・フレイジャー
「服装は必ずしも男を作らないが、男に自信と満足感を与えるというのは少なくとも納得できる事実である」

センスと学問の知識を身につけ、新しいファッションにトライする最初の小さなドキドキは、やがて大きな自信へと変化し、あなたを理想の人生へと導いてくれるのです。

服はあくまでツールですが、衣服に宿る「知恵と力」を賢く身につけると、「服はあなたの人生を導いてくれる最強のツール」となります。

本書との出会いが、あなたの望む未来を実現するための最強のツールとなり、素晴らしい未来を実現されることを願っています。

最後まで読んでくださり、ありがとうございます。

どこかであなたに出会える日を心待ちにしています！

2024年3月

服飾専門家　しぎはらひろ子

書籍購入者限定　スペシャル特典のご案内

ビジカジ度数をさらに詳しく

本書第1章では、曖昧になりがちなビジネス・カジュアルの“カジュアル度”を可視化するために、「ビジカジ度数」と称して「★」の数で表現しました。その上で、ビジネス・カジュアルでおすすめのジャケット、シャツ、パンツ、シューズ、バッグを選ぶ基準として、カジュアル度が一目でわかるマップを紹介しましたが、さらに詳しく知るためのガイドを準備しましたのでぜひご活用ください。

体型別スタイリングをさらに詳しく

本書第3章では、体型ごとに似合う服、コーディネート例を紹介しました。体型に合う服やアイテムの選び方をさらに詳しく知るためのガイドを作りましたので、参考にしてください。

しぎはらひろ子　公式サイトスペシャル特典ページ
https://shigiharahiroko.com/elitecasual

しぎはらひろ子 公式サイト

ニュースやトピックや認定講座のご案内
https://shigiharahiroko.com

しぎはらひろ子 Instagram 公式アカウント

ファッション情報をお届け
https://www.instagram.com/hirokoshigihara/

※ 2024年3月現在の情報です。
※ PC／スマートフォン対象（一部の機種ではご利用いただけない場合があります）。
※パケット通信料を含む通信費用はお客様のご負担になります。
※システム等の事情により予告なく公開を終了する場合があります。
※ Instagram の使用方法は、Instagram 内のヘルプをご参照ください。
※本企画は、しぎはらひろ子氏が管理・運営するものとなります。株式会社ＫＡＤＯＫＡＷＡではお問い合わせ等をお受けしていません。

しぎはらひろ子

ファッションプロデューサー。服飾専門家。日本ベストドレッサー賞選考委員。（一社）日本パーソナルスタイリング振興協会代表理事。デザイン教育の名門、神奈川県立神奈川工業高等学校産業デザイン科を卒業後、松下通信工業（現パナソニック コネクト）の研究開発部で、デザインと機能の研究開発職に就く。23歳でファッション業界に転職し、ミストグレイ・ファッションプランニングを設立。シューズブランド「JELLY BEANS」の立ち上げ、「SHIBUYA109」「JR東日本（アトレ）」「ベルメゾン」などのブランド戦略や商品企画などに携わり、経営者、作家やビジネスパーソンのために「存在感を際立たせるスタイリング」も行う。これまで85,000人以上のアパレルスタッフ、スタイリストを育ててきた服飾戦略・服飾の第一人者。ロジカルにファッションを説明できる稀有な服飾専門家として幅広く活躍中。著書に『何を着るかで人生は変わる』（三笠書房）、『賢いスーツの買い方』（プレジデント社）、『「センスがいい人」だけが知っていること』（青春出版社）などがある。

一瞬《いっしゅん》で心《こころ》をつかむ エリート・カジュアル
一流《いちりゅう》の男《おとこ》だけが知《し》っている、ビジネスファッションのニュースタイル

2024年4月18日　初版発行

著者／しぎはら ひろ子《こ》

発行者／山下 直久

発行／株式会社KADOKAWA
〒102-8177　東京都千代田区富士見2-13-3
電話 0570-002-301（ナビダイヤル）

印刷所／大日本印刷株式会社
製本所／大日本印刷株式会社

●お問い合わせ
https://www.kadokawa.co.jp/（「お問い合わせ」へお進みください）
※内容によっては、お答えできない場合があります。
※サポートは日本国内のみとさせていただきます。
※Japanese text only

定価はカバーに表示してあります。

ISBN 978-4-04-606215-4　C0077